天气屋
与封印屋

十年屋与魔法街的朋友们 6

［日］广岛玲子 ◎著
［日］佐竹美保 ◎绘
任兆文 ◎译

目 录

引子

黄昏横町二丁目，是魔法师们居住的街道。这里总是弥漫着浓雾。

　　来访的人啊，当你拨开浓雾的时候，你一定会被那些个性十足的房子吓一跳吧？彩虹色木桶造型的房子，令人联想到针线盒的房子，外形像保险柜一样的房子……

　　你如果有改变天气的愿望，就到绿色草坪上的帐篷那儿瞧一瞧吧。对，就是那顶有着红黄条纹的帐篷，那里是天气魔法师的家。

　　如果你去拜访帐篷旁边那栋透明的玻璃瓶房子，它的主人则会帮你封印东西，因为那里是封印魔法师的家。

　　没错，天气魔法师和封印魔法师是邻居。

1

两位魔法师的下午茶会

在这条神秘的魔法街上，说起总是想一出是一出，还很喜欢搞恶作剧的魔法师，大家第一个想到的绝对是天气魔法师比比。

比比住在一顶大帐篷里。帐篷上的条纹红黄相间，让人很容易联想到马戏团。比比有着一头黑发，特别喜欢夸张的打扮，笑起来宛如一只想要搞恶作剧的小狐狸。她那细瘦而灵活的四肢一旦动起来，就准是在播撒恶作剧的种子。她就像一股来去不定的小旋风，常常让其他魔法师感到无奈。

一天，比比收到了一封信。寄信人是住在她隔壁的封印魔法师老波。

天气魔法师比比小姐：

　　您好！

　　我跟您已经做了很久的邻居了。但是，我们总是各忙各的，从来没有好好聊过天。作为您的近邻，我深感遗憾，于是我冒昧地提笔写下这封信。

　　您愿意来我家里喝杯茶吗？

　　我殷切期盼三天后的下午三点，您能来我家里做客。

　　静候回复。

封印魔法师　老波

　　另，如果您愿意告诉我您喜欢的饮品和点心，我将不胜感激。

比比读完信后，开心地跳了起来。

"哇,太好了！最近都没什么人邀请在下喝茶呢！"

魔法师们不爱邀请比比，其实是怕她搞恶作剧。比比本人却对此浑然不觉。

她很快写好了回信。

封印魔法师老波先生：

　　谢谢您邀请在下去喝茶。

　　在下乐意之至。

　　十分期待三天后的下午茶会。

　　　　　　　　　天气魔法师　　比比

　　另，在下喜欢可可和芝士曲奇。

　　比比寄出回信后，便开始兴奋地等待约定之日的到来。她已经很久没有这种因为期待某事而迫不及待的心情了。

　　"真期待哇！对了，去别人家喝茶不带些小礼物会很失礼吧？嗯……带什么好呢？"

　　接下来的三天，比比过得既紧张又激动。终于，赴约的日子到了。

　　那天早上，比比一睁开眼睛便从床上一跃而起，兴奋地大声喊道：

　　"在下今天要去参加下午茶会！在下得好好地打扮一番才行！"

比比喜好打扮。她有很多大箱子，箱子里都满满地装着衣服和首饰。她把这些箱子全部打开，拿出一件件衣服和首饰在身前比试着。

穿那件好呢，还是穿这件好？这件衣服配这个首饰怎么样呢？……

比比试来试去，久久拿不定主意。

这种时候，还是根据天气来决定穿搭吧。比比抬头看向帐篷顶部。

从外面看，帐篷明明是封顶的；从里面向上看，却能看到外面的天气。现在，帐篷的顶部是一片蓝天，那是秋季的晴空，万里无云，偶尔有冷风袭来。比比看到秋风像狼一样在天空中兴奋地跑来跑去。

这是比比的魔法。她在自己的帐篷里，不用出门就能知道外面的天气。雨滴、雪花和夜空的星星，她能尽收眼底。这是因为比比每时每刻都想待在广阔的天空下，她喜欢这种无拘无束的感觉。

望着蓝天，比比终于想好要穿什么了。

"在下决定了！在下要穿橘黄色和黑色相间的连衣

裙，再搭配印着蓝色和黄色波点的紧身裤，还有闪闪发亮的长筒靴。首饰嘛……头上就戴平时戴的狐狸耳朵发箍，右手戴橘黄色和黑色的玻璃戒指，左手戴蓝色和黄色的玻璃戒指。至于外套……就穿不久前在色彩屋染好的那件蜜瓜汽水色大衣吧。嗯，非常完美！"

一番打扮后，比比又戴上一条用大颗珠子穿成的项链——这可不是普通的装饰项链，它的每一颗珠子里面都储存着云、闪电、雨、太阳等不同类型的天气种子，这些种子都是比比平时收集来的。

"这身打扮如何？"

终于穿戴完毕的比比走到一面大镜子前，自言自语道。

镜子里映出一个身材纤细、神情机敏的十三岁少女的倩影。只见她脸上布满雀斑，华丽而奇异的衣服穿在她身上居然毫无违和感。

比比看起来对自己的打扮非常满意。不过，她还不急着出门，因为她现在有其他必须做的事。

比比走到帐篷深处。那里有一张大长桌，桌上摆着许多烧瓶和试管，宛若一个小型的实验台。烧瓶和试管里装着小小的太阳、云和旋风等。

比比一个一个查看着。

"不错，不错，'暴风雨'的培育状况好极了；'晨雾'似乎缺一点儿水分；还有这个……嗯，看来很快就能收获'小阳春'天气了。不过，还是得每天逐一确认啊。要是'旋风'变'龙卷风'后出逃的事件再次发生就糟了。"

比比忘我地查看着自己培育的天气。时间悄悄流逝，很快就要到她和封印魔法师老波约好的时间了。

"哎呀，得赶快出发了，迟到可是最没品的事。"

比比走出帐篷，外面的冷风让她打了个寒战。

不过她现在心情很好，蹦蹦跳跳地就向老波先生家走去。

只需十步，比比就来到了封印魔法师的家门口。

就算在这条全是奇异房屋的魔法街上，老波先生的房子也算得上独树一帜：外面是个躺倒的玻璃瓶，瓶子里面有一艘白色的帆船。没错，老波先生的房子正是"瓶中船"的造型。

瓶塞是房子的大门，差不多有一人高。比比按了一下门铃，兴奋地等着老波先生来开门。她一直很想进到这栋房子内部瞧一瞧。

"老波先生的家不久前刚改造完。虽说原来的罐头造型也很不错，但是现在这个瓶中船的造型确实更酷一些……里面会是什么样子呢？"

砰！伴着清脆的响声，瓶塞门打开了。

"欢迎！"门内传出了老波先生的声音。接着，咻的一下，比比被吸进了瓶子中。

当比比回过神时，她发现自己已经站在白色帆船的甲板上了。

帆船在令人心旷神怡的海风和海浪的推动下轻轻摇晃着，四周是一望无际的大海。

甲板上已经摆好了桌椅，老波先生正笑眯眯地在那里等着比比。

封印魔法师老波是个和蔼的老爷爷。他的双眼湛蓝湛蓝的，红扑扑的脸蛋很有光泽。他总是戴着一顶用麦秸编成的草帽，穿着一身蓝色的工作服，长长的胡须上挂着许多大钥匙，腰带上则挂许多锁。

"欢迎光临，比比小姐。"

"老波先生，谢谢您邀请在下！"比比兴奋地向老波先生走去，"啊，在下真的大吃一惊！没想到进入瓶中后看到的竟然是这样壮阔的风景。老波先生……您就住在这艘帆船里吗？"

"是啊。甲板下面就是卧室和厨房。当然，也有卫生间。"

"太棒了，太棒了！没想到这艘帆船就是老波先生的家！而且它还漂浮在这么漂亮的大海上。"

比比兴高采烈地向四周的大海看去，居然看到了跃出海面的鱼群！她又抬头向上看，发现天空中有海鸥在翱翔。

比比认真地问道：

"这些不是模型吧？难道……这是真的大海？"

老波先生点了点头。

"曾经有一位年老的船员，他已经虚弱到不能再出海了，却还是抑制不住自己想要出海的心。他求我把他对大海的向往封印起来，变成这片大海。因此，这的确是真实的大海，还能钓鱼呢。"

"太棒了！"

"快请坐吧。我准备了您喜欢的可可和芝士曲奇。每样都准备了很多，您可以尽情享用。"

"太感谢了！啊，对了，这是在下的回礼。"

比比将一个刚好能放在手掌上的小篮子递给老波先生。篮子里装着三颗闪着光的珠子，看起来就像鸟巢中的鸟蛋一样。

"这是在下特意挑选的一组天气。"

"哎呀，您真是太客气了。非常感谢，让您费心了。"

"这不算什么。'哗啦啦倾盆大雨'能在着火时派上用场，'美好的晴天'和'潮湿的雾天'可以在约会时使用。"

听了比比的话，老波脸红了。

比比则在一旁偷笑——老波暗恋改造魔法师都留的事，在魔法街上无人不晓。

比比还想取笑老波一番，老波却猜中了她的心思，抢先开口说道：

"好了，好了。快请坐，我们来喝茶吧。"

于是，帆船上的下午茶会开始了。

除了可可和芝士曲奇，老波还准备了不少好吃的东西：黄瓜鸡蛋三明治、清爽的腌菜、蘑菇培根法式馅饼、草莓酱蛋挞……

看到各种各样的美食堆满了桌子，比比双眼放光。

"看起来都很好吃！在下真的很开心。在下今天没吃早饭，也没吃午饭，肚子早就饿得咕咕叫了。"

"哈哈！您开心就好。请多吃一点儿。我还准备了其他好吃的，等桌上这些吃得差不多了，我再摆出来。请您挑自己喜欢的吃吧。"

"嗯，在下开动了……哇，太好吃了！这个芝士曲奇的味道真是太惊艳了！这是您做的吗？"

"不不，我可不擅长做点心。这些都是我拜托十年屋的管家猫帮我做的。"

"原来是客来喜做的！它非常可爱，又很会做饭，真是一只出色的管家猫。在下也好想要一个得力的管家啊！"

"哈哈，我也是。话说回来，天气有点儿热啊。要不我把热可可换成冰的吧？"

"不用麻烦您了，在下可以自己来。"

比比一边说，一边捏住自己项链上的一颗小珠子，小珠子立刻从项链上脱离了。

比比就像磕鸡蛋那样，把珠子在桌子边缘轻轻磕了一下。

啪！

随着一声轻微的声响，小珠子碎了，一团灰色的烟雾从里面飘出来。四散而出的烟雾很快聚拢在一起，变成了一团拳头大小的云朵。

比比指了指装热可可的杯子，小云朵立刻滑到杯口上方，然后噼里啪啦地下起冰雹来。不一会儿，杯子里就堆满了冰块，热可可变成了冰可可。

老波看着比比这套行云流水的动作，发自内心地感叹道：

"啊，真方便啊！真是了不起的魔法！一定有很多客人来向您寻求帮助吧？"

"哎呀，也就马马虎虎吧。老波先生呢？最近有没有接到什么有趣的委托？"

"让我想想……啊，这样吧，我们两个轮流讲自己遇到的客人的故事，怎么样？"

"真是个好主意！"比比立刻同意了这个提议。

"那就这么定了。女士优先，请比比小姐先讲吧。"

"好啊。那老波先生想听什么样的故事呢？"

"嗯……我想听最近发生的故事。我十分想知道都是什么样的客人带着什么样的愿望来找您，请讲给我听听吧。"

"在下正好有一个非常精彩的故事。在下不久之前遇到了一位客人，那是个想要迷雾的姐姐……"

就这样，比比讲起了天气屋客人的故事……

2

忌妒的迷雾

米拉盯着不远处的奈莉[1]，眼神中满是嫉恨。

奈莉是米拉的大学学妹，是学校手工社团的成员。她个子不高，身材微胖，一头自然卷的黑发未加修饰。在米拉看来，奈莉有些土气。她觉得，奈莉虽然有自己的可爱之处，但依然是放在人堆里一点儿也不起眼的"普通人"。

此刻，奈莉正和划艇社团的王牌选手赛格罗说话。两个人有说有笑的，俨然是一对幸福的情侣模样。

米拉忌妒得快要发狂了。

"和赛格罗相配的应该是我才对。奈莉凭什么能站在他身边！"

---

[1] 详见本系列第四册《色彩屋》中的第三个故事《期待已久的毛衣》。——编者注

米拉觉得自己比奈莉漂亮得多，自己的身材也更好，那一头耀眼的金发更是比奈莉的黑发好看百倍。作为学校啦啦队的队长，自己的穿着也比奈莉时尚多了。

她以为赛格罗一定会被她的美迷倒。然而，这一切都是她一厢情愿，赛格罗喜欢的其实是朴实无华的奈莉。

"我竟然会输给奈莉……"

米拉很不甘心。

她根本不明白真正的爱是什么，只是一味地觉得自己不能输。

她不仅没有想办法疏解自己的负面情绪，还将这种不满和怨恨都投射到了奈莉身上。

今天，大家一起去森林中徒步。途中，米拉看着赛格罗和奈莉亲密无间的样子，更是气到了极点。

休息的时候，米拉一个人离开队伍，跑得远远的。她实在无法控制内心的怒气了。

"真希望突然起雾，让奈莉在浓雾中迷路，感受一下绝望的滋味！"

就在米拉充满怨恨和憎恶的话语脱口而出的一瞬间，意想不到的事情发生了。

"姐姐，你想要雾气吗？"

头顶突然传来一个声音，米拉吓了一大跳。

米拉抬头一看，发现一个少女正坐在一棵大栎树的树枝上低头看着她。这个少女大概十三岁，身材像柳条一样纤细，古灵精怪的样子让人联想到狐狸，而且她恰好戴着一个狐狸耳朵发箍，这让她看上去更像狐狸了。

少女穿着一条镶满银钻的黑色连衣裙和一双设计花哨的厚底靴。明明没有下雨，她却拿着一把黑色的带蕾丝花边的伞。她华丽闪耀的装束和充满自然气息的森林简直格格不入。

少女轻轻跳下树，来到目瞪口呆的米拉面前，笑眯眯地说：

"在下有各种各样的雾气：有像牛奶一样浓厚的，有轻薄如蝉翼的，也有水汽充足的……姐姐，你想要

哪一种呢？"

"嗯……什么？你到底是……什么人？"

"哎呀，姐姐你真是迟钝。在下因为有你需要的东西，所以被你的愿望召唤而来。对了，在下是天气魔法师比比。怎么样，你现在明白了吧？"

米拉被比比那双亮晶晶的像狐狸一样的眼睛盯着，不由得紧张起来。

"你是……魔法师？"

"没错，你终于反应过来了。在下刚才已经说过，在下是能操纵天气的魔法师。不管你想要什么天气，在下都能为你准备。如何？你要是愿意的话，不妨和在下做个交易吧。"

米拉犹豫起来：我竟然能在这里遇到魔法师，她手里还有我现在最想要的东西……今天我这么幸运吗？……不，等等，我不能轻信她怪异的说辞，太危险了。这个叫比比的少女，怎么看都不可靠。

米拉小心翼翼地问：

"我听说和魔法师交易是需要付出代价的。如果你把我需要的天气给了我，那我要给你什么呢？"

"天气当然要用天气来交换。在下想要你今后某一天本来应该遇到的天气。"

"本来应该遇到的天气？"

"也就是未来的天气。比如三天后本来应该是晴天，但在下把这个晴天从你这儿拿走的话，姐姐三天后遇到的就是与晴天完全相反的天气了。"

"完全相反的天气……是雨天吗？"

"是的，那一整天你的头顶上都会下大雨。这就是在下的交易方式。如何？你愿意与在下做交易吗？"

米拉的大脑飞快地运转起来：她要拿走我未来某一天会遇到的天气……晴天会变成雨天，雨天会变成晴天……好像没什么危险。

米拉心里有了主意。

她看向比比，想询问更多有关交易的事。

"我想问一下，你的魔法只对一个人起作用吗？"

"当然了。你有目标对象，是吗？"

"是的，我有个非常讨厌的人。我想让她遇到浓雾，

23

什么都看不到，然后在森林里迷路！"

"哇，姐姐，你的心眼真是坏啊！但是在下也不能干涉你的行为。"

比比说话时眼睛亮晶晶的。米拉注视了她一会儿，终于下定决心。

"好，我与你交易，你只要把浓雾给我，就可以从我这儿取走你喜欢的天气。我想要能见度不到一米、任谁身处其中都会迷路的浓雾。"

"没问题，在下正好有你需要的浓雾。"

比比说着，从自己戴的串珠项链上取下一颗珠子。

"喏，给你。"

"珠子？什么意思？"

"你凑近看看就明白了。"

米拉接过珠子，向里面看了看。这一看，惊得她倒吸了一口气：像玻璃球一样的珠子里，竟然有纯白色的浓雾正打着圈儿旋转。

"不会吧……"

"嘻嘻，你把它往目标对象的脚下一扔，里面的雾

24

就会立刻冒出来将其团团裹住，而且只有其本人才能看到雾。这可是在下从虚幻岭得到的'迷惑之雾'。"

"太棒了！"

米拉满意地笑了。这片浓雾只有奈莉自己看得到，这样她就可以在旁边观察了。这正是她想要的浓雾。

被浓雾包围，什么都看不清，奈莉会露出怎样惊慌失措的表情呢？

她肯定会像没头苍蝇一样四处乱撞，惊恐地哭着大喊："大家都去哪儿了？"赛格罗看到她那副样子，肯定会觉得很丢脸，然后就会注意到我啦！

米拉沉浸在自己的想象中沾沾自喜。

"我就要这个，谢谢。"

"不客气，现在轮到在下了。在下会取走姐姐未来一天的天气。"

"好……好的，你想怎么做就怎么做吧。"

米拉不知道比比从哪里取出一个大大的沙漏——说是沙漏，里面却是空的，上下都没有沙子。

她将沙漏递给米拉，便唱起歌来：

哪里有朝向太阳的向日葵？

我的眼前只有满天星。

我想要功效众多的鸭跖草，

漫山遍野却只有香蜂草。

今天的花不满意，

那就换一朵。

想要的花啊，请到我手中吧！

比比的歌声仿佛将米拉紧紧包裹住了。

接着，不可思议的事情发生了：沙漏的上半部分出现了一轮满月；下半部分则出现了夹杂着电闪雷鸣的乌云。

看到还在因吃惊而愣神的米拉，比比赶紧说：

"快将沙漏翻转过来！"

"好，好。"

米拉赶忙按比比说的做了。这下，沙漏的上半部分变成了乌云，下半部分变成了满月。

这时，比比笑嘻嘻地从米拉手中拿走了沙漏。

"好了，在下已经从姐姐那儿得到了美丽的满月，我们的交易顺利完成了。"

比比心满意足地将沙漏收了起来，一旁的米拉忍不住问：

"你拿走的是什么时候的天气呢？"

"这是秘密。如果提前告诉你就没意思了。"

"……"

"那么，恕在下先行告辞了。在下希望你能妥善使用'迷惑之雾'。姐姐，拜拜。"

比比迈着轻快的脚步，飞也似的消失在了森林深处。

比比的身影消失后，米拉还在不停地眨眼睛。刚才发生的事是真实的吗？她有一种被爱搞恶作剧的林中妖精戏弄的感觉。

"但是……这个可以证明我得到了魔法。"米拉看着手中的珠子，自言自语道。

珠子里，白色的浓雾还在无知无觉地打着旋儿。

比比说这叫"迷惑之雾"，只有我选定的目标才能看到。我要赶快在奈莉身上试试。

米拉尽量掩饰住自己的窃喜，走回同学们身边。看到她，大家纷纷露出等得不耐烦的表情。

"米拉，你去哪儿了？"

"在森林中不能擅自行动，太危险了。"

"对不起，我错了。走，大家继续前进吧。"米拉心不在焉地道了个歉。

于是一行人继续向前走去。

米拉走在赛格罗和奈莉前面，寻找着合适的下手机会。毕竟珠子只有一个，必须在最恰当的时机使用。

又走了一会儿，他们来到一处陡峭的土坡前。这里没有其他路，大家只能一个接一个往上爬。

米拉故意走在奈莉前面。在即将爬到坡顶时，米拉突然装出失去平衡、手忙脚乱的样子，并且趁奈莉不备，悄悄将珠子扔到了她的脚下。

伴随着轻微的碎裂声，珠子破了。

突然间，奈莉的表情变了，她开始不安地东张西望。

看来魔法起效了。米拉跟着紧张起来。

另一边，已经爬上土坡的赛格罗也注意到了摇摇晃晃的奈莉。

"你怎么了，奈莉？不抓紧岩石会很危险的。"

"我突然什么都看不见了，我的四周都是浓雾……"

"哪里有浓雾？你在说什么啊？"

"这个雾……喂，你们在哪儿，赛格罗？"

"奈莉，怎么回事……算了，你待在原地不要动，我去拉你。快，抓住我的手。在这边，把手给我！"

然而，奈莉没能抓住赛格罗的手……

"啊啊啊！"她发出惨烈的尖叫声，从土坡上滑了下去。

自奈莉从土坡上滑落已经过去两个星期了。

她身上有多处擦伤，更严重的是，大概因为受惊过度，她一直昏迷不醒，直到现在还躺在医院的病床上。赛格罗一直不眠不休地守在她身边，整个人越来越憔悴。

米拉每天都去医院。她不仅安慰和鼓励赛格罗，还会做一些力所能及的事。当然，她做这些并不是为了奈莉，而是出于私心——她相信只要自己在赛格罗面前积极表现，赛格罗就会注意到自己，离开一动不动的奈莉。

　　今天，米拉像往常一样来到了医院。

　　病房里，奈莉躺在床上，赛格罗坐在床边。米拉装出一副同情的样子，问道：

　　"赛格罗，奈莉今天怎么样？"

　　"啊，是米拉啊，你又来了。"

　　"我当然要来了，我们可是朋友啊。奈莉今天怎么样了？"

　　"还是那样，丝毫没有醒过来的迹象。奈莉的爸爸妈妈刚刚去休息了，他们守了奈莉一晚上，我来替他们一下。"

　　"但是你这么多天也一直没有休息啊。我来照看奈莉，你去休息一会儿吧。"

　　听了米拉的话，赛格罗很感激。

"谢谢你，米拉，你人真好。那我就在那边的椅子上眯一会儿。有事你一定要叫我。"

"好，我知道了。"

米拉对赛格罗笑了笑，随后走到床边，看着昏迷的奈莉。奈莉的脸色很苍白，显得十分憔悴。

米拉在心中暗自冷笑。她凑到奈莉耳边，用赛格罗听不到的声音说：

"你就这样一直沉睡吧，奈莉。至于赛格罗，你就让给我吧，本来你也配不上他。"

就在这时，奈莉突然睁开了双眼。

由于事发突然，米拉吓得大叫起来。

"奈……奈莉！"

你怎么会突然醒过来！米拉差点儿就把心里的想法喊出来了。

听到米拉惊恐的叫喊声，赛格罗马上冲了过来，一把将她推开，来到奈莉面前。

"奈莉！你……你醒了！你知道我是谁吗？"

"赛……格罗……"

"是啊，我是赛格罗！啊，太好了！医生，医生！奈莉醒了！"

医护人员一下子拥了进来，狭小的病房立刻变得十分拥挤。奈莉的爸爸妈妈也跑了过来，他们看到醒来的女儿，忍不住喜极而泣。

奈莉虽然醒了，但仍然是一副迷迷糊糊的样子。

赛格罗握着她的手说：

"奈莉，奈莉，你不能再睡了。跟我们说说话吧，说什么都行，开口说说话吧。你现在感觉怎么样？有没有觉得哪里不舒服？"

"我不难受，但是……我感觉自己像是做了一个长长的梦……我被困在纯白的浓雾中，怎么都走不出来……我很害怕……就在我忍不住哭起来的时候，一个奇怪的少女出现了。"

"奇怪的少女？"

"是的。那是一个像小狐狸一样的少女，戴着狐狸耳朵发箍，穿着夸张的衣服，眼睛滴溜溜地转着，看起来古灵精怪极了。"

听了奈莉的话，米拉的表情变得有些僵硬。

戴着狐狸耳朵发箍、衣着夸张的女孩……那不就是天气魔法师比比吗？她为什么会出现在奈莉的梦中呢？

米拉警惕起来，更加认真地听奈莉讲话。

奈莉继续讲述着梦中的故事……

那个少女问奈莉有什么愿望，以及为什么要召唤她。奈莉对她说自己想让浓雾散开，回到家人和朋友身边。

少女听完，笑嘻嘻地对奈莉说：

"那么，这片雾就归在下所有了——不对，应该说还给在下，因为它本来就是在下的东西。当然了，在下会跟您交换，给您一个非常适合您的天气。"

之后，少女递给奈莉一个空沙漏，还唱了一首奇妙的歌。

歌曲结束后，她刚引导奈莉把沙漏倒过来，就迅速将其收了回去。

"这样交换就完成了。姐姐，您知道吗？月亮是恋人的守护者，如果您对着月亮祈祷，它说不定会实现您的愿望呢。"

"但是，月亮并不是在哪里都能看到的。"

"真的是这样吗？姐姐，您已经拥有一个属于自己的月亮了，您快好好看看手里。"

少女指了指奈莉的双手。

奈莉将双手张开，意外地发现真的有一轮皎洁的明月出现在自己的掌中。温柔的月光下，她和赛格罗的身影被投射在手心里。

刹那间，奈莉心头涌起强烈的感情：我要回去，我要回到赛格罗的身边！

"我刚冒出渴望回来的想法……眼睛就睁开了……我才发现自己竟然躺在医院里……难道那只是个梦吗？"

"只要你能醒过来，管它是不是梦呢。"

看着又哭又笑的赛格罗，奈莉终于露出了笑容。

看到双手交握的二人，米拉怒火中烧。

她在心中怒吼道：事情为什么会变成这样？！啊，

都怪那个可恶的魔法师。没想到她竟然会反过来帮助奈莉，太过分了！我要是再遇到她，一定要好好教训她一顿！

米拉一边在内心咒骂，一边逃也似的离开了病房。她不想再看到赛格罗和奈莉两个人要好的样子了。

然而，在她跑出医院的一瞬间，晴朗的天空立刻暗了下来，一团可怖的黑云逐渐凝聚在她的头顶，接着……

一道炫目的闪电从黑云中劈出，在米拉的面前炸开。

"啊啊啊啊啊！"

米拉的眼前一片白，紧接着，黑暗向她袭来。在失去意识之前，她似乎听到了天气魔法师比比的哈哈大笑声和说话声。

"这样，天气的调换就完成了。"

唉，我真不该和那个魔法师扯上关系的。

米拉来不及后悔就坠入了黑暗中……

米拉被不该在这个时节出现的雷电吓昏了。万幸的是，她并没有受伤。

但她并非毫无损失，那曾经令她引以为傲的一头金发被雷电引起的火花烧了个精光，很长一段时间里，她都没再长出新的头发。

听完比比讲的故事，封印魔法师老波叹了口气。

"唉，真是害人害己啊！那个叫米拉的孩子做了一件非常愚蠢的事。不过，比比小姐，您也真是乱来。您平时总是这样一边观察客人，一边寻找搞恶作剧的机会吗？"

"并不总是这样，在下只有在感到有趣的时候才会这样做。"

"哎呀，哎呀。不过听到奈莉那孩子平安无事，我也松了一口气。多亏有您帮忙，她才能醒过来。"

"在下觉得那是爱的力量。"

"是啊，我也这么认为。啊，说起来，我也曾收到过一个与爱有关的特殊委托呢。"

"哇，在下想听听这个故事！"

"好，那我就给您讲讲这个故事吧。不过在那之前，请您先尝一尝我做的西红柿芝士沙拉。我买的西红柿特别甜，再搭配香浓的芝士，别提多好吃了。我想您一定会喜欢的。"

"那在下一定要尝尝看。"

"好，我去端过来。"

老波从甲板下面的厨房里端出了沙拉。比比一边吃，一边听他讲故事……

3

被讨厌的蔬菜

六岁的男孩多武一看到桌子上的早饭就噘起了嘴，因为沙拉里面放了许多他讨厌的西红柿。

到底是谁种出了西红柿呢？世界上要是没有西红柿就好了。多武盯着西红柿，郁闷地想着。

多武非常讨厌西红柿的气味和味道。他不明白，为什么它明明长得鲜嫩饱满，像水果，却一点儿都没有水果香甜的味道。只要在餐桌上看到西红柿，多武就会食欲全无。

然而，多武的妈妈非常喜欢在做饭时放西红柿。她总是一厢情愿地强迫多武吃西红柿，哪怕多武只吃一口，她也觉得是好的。

“多吃西红柿对身体有好处。你要是不喜欢吃西红柿沙拉就剩下吧，我今天还做了西红柿汤。汤你总应该喝了吧？"

"不要，我绝对不喝。"

"多武！这可是妈妈费尽心思做的！"

"但我就是讨厌西红柿啊。我明明说过我不吃，您为什么非要逼我吃呢？我不吃！我不吃！"

"多武！你要是再任性，就别吃早饭了！"

"好啊！要是早饭只能吃西红柿,那我就不吃了！"

多武大叫着，从厨房跑了出来。

他气得不得了，觉得妈妈完全不理解被别人强迫吃自己不喜欢的东西有多痛苦。

虽然肚子饿得咕咕叫，但我是绝对不可能喝西红柿汤的。对了，院子里的树莓快熟了，摘下来吃一点儿就能勉强撑到吃午饭的时候。要是午饭还有西红柿，我还是宁愿饿着也不会吃的。

总之，我绝对不会再吃西红柿！多武一边在心里暗暗发誓，一边打开通向院子的后门。

然而，他一打开门就呆住了：门外竟是一片纯白的浓雾。

"天哪，什么都看不见了！"

多武顿时兴奋起来。他小心翼翼地迈出房门，走了几步，听到脚下传来啪嗒啪嗒的声音。他仔细一看，发现自己踩的不是自家的草坪，而是石板路。

这不是我家的院子！

多武反应过来的同时，浓雾一下子消散了。

果然，多武来到了一个完全陌生的地方。这是一条空无一人的街道，两侧矗立着许多奇形怪状的房子，一旁的草地上甚至还有一顶像马戏团表演场一样的大帐篷。

帐篷的旁边有一个和房子差不多大的瓶子横放在地上，里面装了半瓶碧蓝色的海水，一艘白色帆船漂在海上，正随着海面的波浪轻轻地摇晃着。

这个奇特的建筑勾起了多武的好奇心，他很想去里面一探究竟。走近之后，他发现瓶塞就是大门，似乎能从那儿进去。

当他下定决心走进这个建筑时，砰的一声，瓶塞弹开了，多武被一股强大的力量拽了进去。等到回过神来，他发现自己已经站在了一艘漂浮于汪洋大海之中的帆船上。

望着眼前的情景，多武惊讶得一句话都说不出来。这时，一位身材高大的老爷爷迎了过来。

老爷爷的穿衣风格异于常人：身上是蓝色的工作服，头上是一顶大大的麦秸帽子，长长的胡须上挂着许多把钥匙，腰带上则挂许多锁。他的眼睛炯炯有神，脸颊像苹果一样红润，整个人看起来非常有活力。

老爷爷笑眯眯地和多武打招呼：

"这位客人，欢迎您来到封印屋。"

"封……封印屋？"

"是的，这里是魔法师的商店。我叫老波，是一位封印魔法师。因为您需要我的魔法，所以您来到了这里。请问，您是想封印什么，还是想要为某个东西解开封印呢？"

"我不太明白您的意思……封印？什么东西可以被封印呢？"

"什么都可以，"老波先生说着拍了拍胸脯，"没有我封印不了的东西。当然，也没有我解不开的封印。我不仅可以封印您讨厌的东西或噩梦，还可以解封您忘却的记忆或一直压抑的感情。这就是封印魔法。"

多武对老波的话感到惊讶。

"那么……您……您可以把我讨厌的西红柿封印起来吗？"

"哎呀，您不喜欢吃西红柿吗？"

"嗯，我特别讨厌西红柿！可我妈妈一直逼我吃西红柿……"

"原来是这样啊。那我把您讨厌的西红柿封印起来吧。只要我施展魔法，您以后就不会再吃到西红柿了。"

"真的吗？谢谢！"

看着兴高采烈的多武，老波又一脸严肃地补充道：

"不过，为客人施展魔法是需要报酬的。说是报酬，但我要的并不是钱——封印魔法对应的是解封某种东西。"

"解封？"

"就是把曾经被锁上的东西释放出来。我想解封您身上的某种东西，可以吗？"

"我想是可以的。"

多武立刻点了点头。只要能不吃西红柿，让他怎么样都可以。

老波感受到了多武的决心，笑着说：

"好，那我们现在就开始吧。首先封印西红柿。请站在原地不要动。"

老波说完，唱起了一首嘹亮的歌：

> 荆棘、蔷薇、钩藤哟，
>
> 请速速开始蔓延、缠绕，
>
> 形成一把水火不侵的坚固之锁。
>
> 守护吧，守护着那宝贝，
>
> 在钥匙插入锁孔，
>
> 宝箱打开之前……

这是一首魔法之歌，多武隐隐感受到了其中的魔法力量。

当老波的歌声结束时，多武的心里轻微地响了一声。那是上锁的声音。虽然还不太明白怎么回事，但多武莫名知道，自己的某个东西被封印了。

老波对不停眨眼的多武伸出手，多武看过去，发现他的手中有一把小小的银色钥匙，钥匙柄上装饰着珐琅质地的西红柿徽章。

"请收好。这是封印钥匙，请您务必收好。万一有一天，您突然想吃西红柿了，就把钥匙放在胸口上转几圈，之后封印会立即解除。"

"啊，我不需要这把钥匙！我以后也绝对不可能想吃西红柿。"

"不要说得这么绝对。总之，请先把钥匙收好吧。"

多武听从老波的指示，不情不愿地接过了钥匙。

"我真的再也不用吃西红柿了吗？"

"当然了，我的封印是完美无缺的。那么，现在我要开始收取报酬了。"

老波又唱起了魔法之歌，不过这次的歌词和上次的不太一样：

荆棘、蔷薇、钩藤

缠绕而成的封印，

水火不侵。

让我们收集月光与星光，

做成一把钥匙吧，

只要把钥匙插入生锈的锁孔，

就能解封其中的宝贝……

咔嗒。多武的心里又轻响了一声，不过这个声音和刚才的不同，像是开锁的声音。

多武紧张地看向老波。

"您把什么解封了？"

"小客人，您很快就会知道了。应该是出乎您意料的东西。"老波露出调皮的笑容，然后对多武下了逐客令，"再不回去，您的家人该担心了。来，沿着这块木板往前走，您就能回家了。"

多武微微发抖，因为老波指的那块木板已经伸到帆船甲板外面去了，而木板下面就是无边无际的大海。

"我会掉下去的。"

"不会的，请别担心。这里可是本魔法师的家，这也是魔法之一。没关系的，请相信我，大步向前走吧。"

多武被老波赶鸭子上架，只好硬着头皮在木板上一点点挪动步子。

他小心翼翼地走了一步，又走了一步……

"咦？"

眼前广阔无边的大海变得越来越浅，一扇蓝色大门却越来越清晰。

那正是多武家的后门。

多武十分震惊。他握住门把手，用力打开了门。

下一秒，多武就回到了家中。他急忙回头，发现老波、大海、帆船全都不见了，眼前只有家里小小的后院。

不过，多武非常确信刚才的一切并不是梦，因为他的手里还握着那把银色的钥匙，那把带有西红柿徽章的封印钥匙。

多武只是不知道自己是否真的被施了魔法。

于是，他将钥匙放进口袋里，定了定心神，然后向厨房走去。

妈妈正在厨房里洗盘子。多武只能看到妈妈的背影，他不确定妈妈是否还在生气。

"妈妈……"

"多武？"妈妈回过头，脸上的怒气已经消失了，"太好了，你回来了。妈妈仔细想了想，觉得强迫你吃不喜欢的东西的确不对，妈妈以后不会再强迫你吃放了西红柿的饭菜了。"

"真……真的吗？！"

"嗯，我会等到你主动想吃西红柿的那天。对了，你还没吃早饭吧？我重新做了没有放西红柿的沙拉，汤也换成了酸奶，你快吃点儿吧。"

"嗯！谢谢妈妈！"

多武带着对妈妈的感激来到餐桌前，狼吞虎咽地吃起迟来的早饭。由于妈妈没放西红柿，他感觉这顿饭菜比平时的要好吃好几倍。

"太棒了！不放西红柿的沙拉竟然这么好吃。明明都是蔬菜，为什么味道各不相同呢？还有，莴苣是怎么长出来的？我最喜欢的土豆和玉米的生长周期是多长呢？"

以前对蔬菜完全不感兴趣的多武突然对这些问题产生了好奇。于是他对妈妈说：

"妈妈，你下次去采购的时候，可以给我买一些蔬菜的种子吗？我还想要培育蔬菜的书和有关蔬菜的图鉴。"

"可以啊，不过你怎么突然想要这些东西了？"

"我也说不清楚，我就是突然对蔬菜感到很好奇，还想自己种点儿蔬菜。"

"好好好，反正这次你肯定也是三分钟热度。"

然而这一次，妈妈说错了，因为封印魔法师老波解开的封印正是多武对蔬菜的兴趣。尘封已久的东西一朝被解开，必定不会轻易消失。

就这样，十八年过去了。

多武上了大学，选择了农学专业。他忙着培育能抵抗自然灾害的作物，研制营养均衡的优质肥料，改良现有蔬菜的品种，每天都过得十分充实。

多武还喜欢上了一个女孩。

这个女孩比多武小一级，名叫丝萝。丝萝笑起来非常可爱，对待学习也十分认真，她的成绩、她对培育农作物的热情都丝毫不逊于多武。

只不过，多武以为像丝萝这么有魅力的女孩肯定早就有了男朋友，所以心有胆怯，一直不敢对丝萝表明心意。

一天，多武路过教学楼的一间空教室时，正好听到丝萝和她的朋友们在里面聊天。他听到丝萝的朋友们问她：

"丝萝，你今天也要一整天都待在研究室里观察蔬菜的幼苗吗？除了学习，你也应该多跟我们出去逛逛。我们一起买买衣服，一起玩，享受享受美好的生活呀！对了，丝萝，你有男朋友吗？"

多武的心悬了起来，他下意识地竖起耳朵听着。

丝萝笑着摇了摇头。

"我没有男朋友。不过，我也希望能早点儿遇到那个对的人。"

"那你的理想型是什么样的呢？"

"嗯……我希望他性格温柔，并且能够和我一起从事农业研究。我的家在农村，我从小就接触了很多与农业相关的事情，对此也很感兴趣，所以大学毕业后我想继续在这个领域钻研下去。"

"原来如此。"

"还有，我家是种植西红柿的，我的男朋友必须很喜欢西红柿。"

"啊……这样一来，多武学长就没机会了，他最讨厌西红柿了。真遗憾，我本来觉得多武学长和丝萝很般配呢。"

"是啊，我也觉得有点儿遗憾。"

丝萝的低语中似乎带了一丝失落，这让在教室外面偷听的多武心中一动。

看来丝萝对多武似乎也有好感，只是她不愿意和讨厌西红柿的人交往，所以干脆放弃了这份感情。

多武蹑手蹑脚地离开走廊，一个人来到了研究室。

他现在有些迷茫。

"西红柿啊……"

过去的十八年里，多武真的一次也没吃过西红柿。无论什么时候，他总能避开西红柿，哪怕有时不是他有意为之。比如，在饭店点了放了西红柿的菜，多武一口还没吃就被朋友们都吃光了；研究室举办收获节时准备了许多加了西红柿的菜，可那天多武偏偏闹肚子没办法参加……

这样看来，封印魔法师老波的魔法真的是天衣无缝、完美无缺。

因此，我也不可能和家里种植西红柿的丝萝交往。我一直没能向丝萝表白，估计也是老波的封印魔法从中阻挠的缘故。

我和丝萝没有缘分。我只能放弃这段感情了吗？

不行！

我还没有表白就放弃，以后一定会后悔的。无论如何，我都不想还没尝试就放弃。

渐渐地，多武的心中有了决定。

我已经不是小孩子了，不能再依赖魔法躲避自己讨厌的食物了。

下定决心后，多武就开始行动了。

那天，多武一回到家就从杂物间翻找出自己的宝箱，那里面放着他童年积攒的宝贝：松果、贝壳、漂亮的玻璃球……它们把宝箱装得满满当当的。

多武从宝箱中找出一把银色的钥匙。那是封印魔法师给他的解除封印的钥匙。

那时候，我为了不吃西红柿真是有些不顾一切啊……不知道老波先生现在好不好……

多武认真打量着手中的钥匙，心中涌起一股怀念之情。

现在想来，他一直深受老波先生封印魔法的恩惠。然而，如今的他已经找到了更重要的东西，不再需要封印魔法了。

"已经足够了……谢谢。"

多武轻轻道谢后，将钥匙放在胸口转了几圈。

咔嗒。

心中响起解锁的声音，多武清楚地知道自己的封印被解开了。他感到落寞，同时还有些激动。

太好了，这样我应该就能向丝萝表白了，多武兴奋地想。

第二天一早，多武便急匆匆地赶到研究室。值得庆幸的是，丝萝正一个人待在里面。

多武走到丝萝面前，十分紧张地向她表明了心意。

听完多武的话，丝萝惊讶得瞪大了双眼，脸颊也变得通红。她支支吾吾地说：

"那个……学长的心意……我……那个……我非常开心，但是我知道学长很不喜欢西红柿，所以我……我……"

"我知道你将来想种植西红柿，我从心里支持你的梦想。如果你愿意的话，我也想和你一起种。我们一起培育出像我这样讨厌西红柿的人也爱吃的西红柿，好吗？"

"可是，讨厌西红柿的人怎么可能培育出让人喜欢的西红柿呢？"

"这……这个……"

多武语塞了。但是，都到了这一步，哪有退缩的道理？他鼓起勇气，继续说道：

"但……但这是我的真心话。我真的喜欢你，我们一起努力好不好？"

"好……好吧。那我们赶快着手改良西红柿的品种吧。我一定要在毕业之前培育出学长喜欢吃的西红柿。"

"好，一言为定！"

听完老波讲的故事，天气魔法师比比一脸满足地呼出一口气。

"哇，真是个好故事。客人为了爱情，主动解除封印。咦，为什么您会知道后面发生的事情呢？难道您一直监视着使用封印魔法的客人吗？"

"当然不是了。不过，我与被施了封印魔法的客人之间确实存在着某种联系。因此，在客人主动解除封印时，我能感知到客人这么做的缘由。"

"哇，好神奇！"

"对了，几年后，一个农场培育出一种新的西红柿，就像水果一样好吃，连讨厌吃西红柿的人也吃得津津有味，所以它在市场上非常受欢迎。"

听了这话，比比恍然大悟，她想到老波刚才端出来的西红柿沙拉里面的西红柿就像他说的一样，香甜可口。

"难道刚才的西红柿……"

"哈哈哈，没错，它的名字就叫'封印西红柿'，我最近很喜欢吃。不用我说，你也知道它是由谁培育出来的吧？"

"哇，好浪漫！太好了，在下也想找到这样的客人。"

老波向兴奋得拍手叫好的比比询问道：

"对了，比比小姐，您一直都是自己去找客人的吗？我确实没看见过有什么客人到访您的帐篷。"

"嗯，在下的帐篷里太乱了，就算客人来了也无处下脚。不过，在下帐篷里东西的数量和十年屋的一比，还是小巫见大巫了。"

想到被各种物品塞得满满当当的十年屋，老波不禁笑了起来。

“是啊，像十年屋那样的情况确实很少见。”

“嗯。而且，在下如果不出门，就无法收集天气了。”

“收集天气？”老波对这种陌生的词语搭配产生了兴趣，“您是怎么收集天气的呢？”

“要做的事有很多。在下要爬到三三山的山顶，去采集黎明花的花蜜，追逐夜风猫的歌声和冬风狼的远吠……然后把它们带回帐篷，培育出‘大晴天’‘凉爽的风’‘暴风雪’等天气。”

“真让人吃惊。没想到您还要自己培育天气，我以为您的魔法只是交换您和客人的天气呢。”

听了老波的话，比比噘起嘴说道：

“那样的交易方式是交换屋的做法。您可别小看在下，作为天气魔法师，在下每天都在认真工作。啊，在下想起来了，不久前发生了这样一件事……”

“看来您似乎想起了一个有趣的故事呢。不过，请您稍等一会儿好吗？我还烤了面包，是蓝莓馅的，差不多就要烤好了，我先去端过来。我们一边吃，一边讲故事吧！"

"蓝莓馅的面包？在下还从没吃过呢。"

"您一定会喜欢的。我就很爱吃这款面包。"

正如老波所说，比比的确喜欢上了蓝莓馅的面包，酸甜可口的大颗蓝莓夹在蓬松香甜的面包里面，比抹一层厚厚的蓝莓果酱吃起来还过瘾。

"太好吃了，简直太棒了！老波先生，在下可以再吃一个吗？"

"您想吃多少就吃多少。只是您别忘了，该轮到您讲故事了。"

"啊，在下确实差点儿忘了。嗯，让在下想想讲什么好……在下不久前接到了这样一份委托……"

比比一边吃着面包，一边讲起了第二个故事。

4

小池塘里的朋友

卡鲁鲁是个独居老人。他虽然一个人生活，却一点儿也不觉得孤独。

这是因为卡鲁鲁家有个很大的庭院，他整日乐此不疲地做着自己感兴趣的园艺工作：给花木浇水，去除杂草，修剪过长的树枝，播种……每天都安排得满满当当的。

由于卡鲁鲁十分用心地打理自己的庭院，每个经过此地的人都会忍不住驻足欣赏、赞叹一番：

"好漂亮的庭院啊！"

"哎呀，真是太了不起了！"

人一旦听到赞美自己的话语，就会非常高兴，干劲儿十足。卡鲁鲁也不例外。他越来越醉心于打理庭院，甚至还在庭院里建了一个小池塘。

不过，这个小池塘建得不太成功，只要超过一天不往里面倒水，它就会干涸。卡鲁鲁本来想在小池塘里养几条金鱼，但又觉得每天用水桶提水、倒水实在太累了，所以最后，小池塘还是干涸的时候居多。

一天，卡鲁鲁萌生了一个想法：不如用土把小池塘填平，在上面种一棵桃树吧。

当天，他揣着这个想法，像往常一样来到了庭院。

初夏的庭院四处都展现着迷人的景色：树叶翠绿，青草茂密，用心浇灌的花朵在阳光下怒放，蓝莓也长势喜人，正是应季的美味。

卡鲁鲁先摘下成熟的蓝莓，随后开始除草。

这一天，天气十分晴朗，万里无云。初夏的太阳有些刺眼，气温也渐渐升高。不知不觉间，卡鲁鲁已累得气喘吁吁，还出了一身大汗。

"这样下去可不行，很可能会中暑。我得赶快去树荫下喝些柠檬水。"

就在卡鲁鲁向树荫跑去时，他突然在茂密的草丛间发现了一个细细长长的白色的东西。他拨开草丛，好奇地探头往里看，随即被吓了一跳。

那东西好像是一只蜥蜴！它只有人的手掌那么大，全身覆满闪闪发光的白色鳞片，就像撒满了绵白糖的小点心一样。

"真漂亮啊！"卡鲁鲁情不自禁地感叹道。

然而，当卡鲁鲁已经离它很近很近时，它还是一动也不动，似乎奄奄一息了。

卡鲁鲁轻轻拿起这只小蜥蜴，想要检查一下它哪里受伤了。他仔细观察着，这才发现这只小家伙并不是蜥蜴，因为它的四肢前端长了蹼。

"有蹼说明是水生动物，而且它有鳞片，难道是一种新型蝾螈吗？把它放进水里，它应该就能恢复过来了。"

卡鲁鲁赶快打了一桶水，将蝾螈放了进去。没一会儿，小家伙果然动了起来，闭着的眼睛也睁开了。

蝾螈如同挣脱了枷锁般在水中扭动着身体，又将头露出水面，仰脸看着卡鲁鲁。它圆圆的蓝色眼睛就像有星星花纹的青金石一般。

蝾螈眨了几次眼睛，似乎在向卡鲁鲁道谢。卡鲁鲁越发高兴起来。

"太好了，太好了，看来你恢复过来了。慢慢来，可不要逞强啊。话说回来，你待在这个水桶里有些憋闷吧？"

说着，卡鲁鲁看向庭院的小池塘。虽然小池塘已经干涸了，但是只要往里面加满水，它就可以暂时充作这只蝾螈的栖息之地。

"你稍微等我一下。"

说完，卡鲁鲁又找出一个水桶，去水井里打水。他来来回回跑了好几趟，终于把小池塘填满了。然后，他将蝾螈放了进去。

蝾螈似乎特别喜欢这个小池塘，在里面欢快地游来游去。

"哈哈，看来你非常喜欢这里啊，那就暂时待在这里吧，等身体恢复了再去你想去的地方。我会每天往里面加水的，你不用担心。"

从此，卡鲁鲁每天的必做事项又多了一项：往小池塘里加水。

然而过了好几天，蝾螈都没有离开小池塘，看来它真的很喜欢待在里面。卡鲁鲁每天来打理庭院时，蝾螈还会从水里冒出头来，饶有兴致地旁观他干活儿。

卡鲁鲁也把这个小家伙当成了自己的朋友，他开始在小池塘边吃早饭和午饭。当他丢一些面包屑给蝾螈时，蝾螈总会先啾啾叫几下才开始吃。

"哈哈哈，先道谢再吃东西，你这个小家伙还真是有礼貌啊。对了，我给你取个名字吧，叫凯鲁鲁怎么样？我叫卡鲁鲁，你叫凯鲁鲁，发音相似，很不错吧。"

"啾啾！"

"看来你很喜欢啊，太好了！今天可真热，快赶上去年最热的时候了。小池塘里的水还够吗？以防万一，我再去添一些吧。"

卡鲁鲁起身准备拿着水桶去打水。突然，他感到一阵强烈的眩晕。

"啊！"

他眼前一黑，随即发出一声惨叫，努力支撑着身

体的双腿也渐渐没了力气。

然后……

等到恢复了意识时，卡鲁鲁发现自己躺在一个陌生的房间里。

卡鲁鲁十分惊讶，但很快就反应过来自己所在的地方是医院，因为他闻到了消毒液的味道。

"我……我为什么会在医院里呢？啊，好痛！"

他刚动了一下，左腿就感到一阵剧痛。

听到卡鲁鲁喊疼，一位穿着白大褂的医生急忙跑了过来。

"啊，不要乱动。"

"医……医生，这是怎么回事？我为什么会在医院里呢？"

"你中暑晕倒了，幸好有路人经过发现了你，把你送进了医院。你晕倒的时候可能撞上了坚硬的东西，导致左腿骨折了，所以你现在必须静养。"

"哦……原来如此。给你们添麻……"

这时，卡鲁鲁想到一件事，脸色突然变得煞白。

"医生，我是什么时候被送进医院的？我……我到底昏迷了多久？"

"你已经昏迷了整整两天。你的症状还挺严重的，可能是年纪大了。你今后必须格外注意啊。特别是今年，天气突然就热起来了。"

"两……两天？那……那么，这两天下雨了吗？"

"下雨？没有，这两天都是大晴天，而且特别闷热。除了你，还有好几个人因为中暑被送进了医院。"

听了医生的话，卡鲁鲁立刻掀开被子，想要下床。然而，他立刻就被制止了。

"你在做什么?!我不是刚说了不要乱动吗?!"

"但是我必须回去！我要是不回去，凯鲁鲁会死的！"

"什么？凯鲁鲁是谁？"

"它是我的朋友，一只住在我家院子里的蜻蜓。小池塘里的水一干涸，它就会死的。拜托了，让我先回去一趟吧！"

听到"蜻蜓"二字，医生瞬间松了一口气。

"不用担心，蝾螈是两栖动物，在陆地和水里都可以生存。小池塘里的水要是干了，它肯定就跑到别的地方了。你现在最重要的事是照顾好自己的身体。"

"但是，我……"

"你再不安心静养，身体就恢复得更慢，你就得在医院住更长时间，这样你更见不到你的蝾螈了。"

"知……知道了。我不会再乱动了。"

"这就对了。你先回床上躺着吧，我去给你拿止痛药。"

没办法，卡鲁鲁只好听医生的话躺回床上，但他还是十分担心凯鲁鲁。

小池塘里的水也许已经干了吧？希望凯鲁鲁能跑到别的地方去。要是它一直在小池塘里等着我，那该怎么办呢？被火辣辣的太阳晒着，它一定很不好受吧？

说不定它已经死了……卡鲁鲁胡思乱想着，刚冒出这个念头，眼泪和冷汗就一齐落了下来。

"啊，凯鲁鲁……对不起，真的对不起。下雨……要是能下雨，那个小家伙就安全了！我要是拥有控制雨水的力量就好了……"

卡鲁鲁嘴里一直念叨着无法实现的愿望。这时，突然有一个声音在他耳边响起：

"在下可以帮您下雨哟。"

卡鲁鲁吓了一跳。他往身旁一看，才发现不知何时，病床旁竟出现了一个少女。

这个少女身材纤瘦，打扮奇特，穿着镶满星星串珠的晚霞色连衣裙和彩虹色的连裤袜，头上戴着狐狸耳朵发箍。她细长的眼睛闪闪发亮，脸上布满雀斑，看起来是个淘气的少女。

少女对着愣住的卡鲁鲁开始自我介绍：

"晚上好，在下是天气魔法师比比。"

"天气魔法师……？"

"是的，在下的魔法能操纵天气。"

卡鲁鲁目不转睛地盯着眼前这个看起来得意扬扬的少女。

这个小姑娘竟是位魔法师？别开玩笑了，我现在可没心情陪她玩。

卡鲁鲁本想赶她走，但是说出来的话是完全相反的意思：

"哇，真的假的？你真的是魔法师吗？"

"当然是了，您看到在下还不明白吗？"

"我……我怎么可能明白？我又没有见过魔法师。魔法师都打扮得像你这么华丽吗？"

"大家的穿衣风格当然各不相同。有的魔法师喜欢穿镶满纽扣的衣服，再搭配一顶装饰着缝纫工具的帽子；有的魔法师喜欢穿一身整齐利落的西装……不过，这不重要，在下接下来要和您说的才是重要的事：在下是被您的愿望召唤来的。"

"被我的愿望召唤来的？"

天气魔法师比比一本正经地点了点头。

"您的庭院里有在下要找的东西。要是您同意在下进去，在下就会实现您的愿望。"

"实现我的愿望？"

"是的，刚才在下已经介绍过了，在下能操纵天气。不管是雨还是雪，哪怕是大风和暴风雨，在下都能召唤过来。"

听了比比的话，卡鲁鲁睁大了双眼。

操纵天气的魔法！对啊，这不正是我想要的吗？！

"既然这样，请你下雨！请你为我下场雨！只下在我的庭院里就行。为了不让小池塘干涸，还得请你下得大一点儿！"

"小事一桩。那么，也请您允许在下进入您的庭院，这样我们的交易就成立了。"

"好。只要能给我的庭院下场雨，我的庭院也好，房子也好，你都可以随意进入！"

"多谢。那么，在下就先去您的庭院里下雨了。您别担心，在这里好好休息吧。"

说完，比比笑眯眯地离开了病房。

等病房里又只剩下卡鲁鲁一个人时，他突然觉得不安起来。那位叫比比的魔法师给人一种不靠谱的感觉，她真的会遵守约定吗？

"拜托了……希望凯鲁鲁平安无事。"卡鲁鲁现在能做的就只有祈祷了。

一个星期后，医生终于允许卡鲁鲁回家了。他拄着拐杖好不容易回到家，却发现原本美丽的庭院变得一片狼藉。

"这是……怎么回事？！"

庭院里有好几处都被水淹了，草坪上全是泥，树的枝叶都垂了下来，花坛里的花也全都被破坏了。总之，整个庭院仿佛被洪水席卷过一样。

但是，卡鲁鲁很快振作起来。

看样子，那位叫比比的魔法师确实按照约定来庭院里下了一场大雨。也就是说，凯鲁鲁也许平安无事。

卡鲁鲁踩在泥泞的地面上，深一脚浅一脚地向小池塘走去。

小池塘里溢满了浑浊的泥水。

"凯鲁鲁，凯鲁鲁，你在里面吗？是我，卡鲁鲁。快出来吧！"

卡鲁鲁对着小池塘呼唤了好几次。然而，白色蝾螈一直没有现身。

"凯……凯鲁鲁已经死了吗？"

突然，一阵强烈的无力感向卡鲁鲁袭来，他失落地跌坐在小池塘边。

庭院毁了，朋友离开了，我什么都没有了……

只要肯花费时间和精力，我的庭院还能恢复如初。可是，我再也见不到凯鲁鲁了……

卡鲁鲁心中一阵刺痛，不由得掉下了眼泪。

正当他沉浸在悲伤中时，他身旁突然响起一个调皮的声音：

"嘿！您好！"

卡鲁鲁抬头一看，原来是天气魔法师比比。他顿时气不打一处来，瞪着比比愤愤地说：

"是你！"

"咦，您怎么生气了？"

"我当然要生气了！你……你好好看看我的院子！你把它搞成这个样子，是个人都会生气！"

卡鲁鲁的怒气让比比有些不明所以。

"但是，明明是您让在下多下些雨的。在下可是照您说的去做的。"

"那你也应该适可而止啊！这下可好了，好好的院子全都让你毁了。你又来干什么？难道是来笑话我这副垂头丧气的样子的吗？"

"在下并没有这个意思。在下今天是来送礼的。"

"送礼？"

"是的。是您的朋友拜托在下来的。"

比比一边说着，一边往卡鲁鲁的手中塞了一个什么东西。

卡鲁鲁摊开手一看，原来是一颗大大的带着七色光旋涡的玻璃球。

卡鲁鲁吃了一惊，手一抖，不小心把玻璃球掉到了地上。玻璃球一落地就碎了，旋即消失无踪。

"啊，糟了！"

"没关系。快，快抬头看天空！"

"什么？"

听了比比的话，卡鲁鲁抬头向天空看去。眼前的景象惊得他瞬间屏住了呼吸。

只见湛蓝的天空中，一道绚丽的彩虹正在慢慢浮现，就像有人用画笔在画布上唰唰地作画一样。

真是难得一见的彩虹：如玫瑰般浓艳的红色，像金盏花一样活泼的橙色，像金合欢一样明亮的黄色，像春天的新叶一样青翠欲滴的绿色，像绣球花一般清新的青色，像矢车菊一样浓郁的蓝色，还有像蝴蝶花一样深沉的紫色。七种颜色的圆弧一道叠着一道，清晰地在天空正中浮现，组合成美丽的拱形。

比比对已经看呆了的卡鲁鲁说：

"虹龙的叹息可以变成最美丽的彩虹。"

"虹龙？"

"那个孩子说它非常喜欢您，还说等它长大了，变得强大时，它会再来找您玩。到那时候，它还想吃您准备的面包屑呢！"

卡鲁鲁已经知道比比口中的"那个孩子"是谁了。

他又抬起头。看着那道美丽的彩虹，他的心情也逐渐放晴，刚才心中因绝望而产生的阴霾一扫而空，取而代之的是七彩的光芒。

卡鲁鲁用欢快的语调对比比说：

"那么，你能替我向我的朋友转达几句话吗？就说我会准备最好吃的面包，还会打造一个永远不会干涸的池塘，随时欢迎它来玩。"

比比承诺自己一定办到，随后就离开了。

卡鲁鲁在庭院环视了一圈。虽然庭院眼下一片狼藉，但我一定很快就能将它恢复到完美的状态，所以我首先要做的是赶快把腿上的伤养好。当然，改造庭院的第一步就是建一个不会干涸的池塘。

"看来，要忙活一阵了。"

卡鲁鲁干劲儿十足地自言自语道。

老波听完故事，不禁挺直身子问：

"也就是说，那只白色蝾螈其实是一种叫作虹龙的生物？"

"是的。"

"您去卡鲁鲁的庭院，是在找虹龙吗？"

"嗯。阿靛从在下这里订购了最美丽的彩虹，所以在下去了一趟虹龙们居住的山谷。说起来，在下也很久没去了呢。但在下到了那儿才发现，山谷中最小的孩子不见了，整个山谷一片混乱。它们答应在下，只要在下能找到那个孩子，它们就给在下彩虹。在下这才拼命地到处寻找。"

"您是因为在卡鲁鲁的庭院中找到了这只走失的虹龙，所以才去和他做交易的？您当时为什么不立刻把小虹龙带回山谷呢？"

老波的提问让比比有些惊讶，她回道：

"因为在下不能做出随意进入别人庭院这样没礼貌的事啊。在下必须得到主人的许可，所以特意去了一趟医院。"

"比比小姐那么喜欢恶作剧，在这种情况下，居然这么遵守规矩啊。"

"哎呀，在下的故事讲完了。总之，在下把最小的孩子送回去后，虹龙们都可开心了，在下得到了彩虹也非常高兴，色彩魔法师阿靛对在下培育出的彩虹也非常满意。"

"真是皆大欢喜啊！"老波笑着表示这真是个好故

事，转而又说，"那么，接下来该我讲故事了。您想听什么故事？"

"让在下想想。嗯……"

"我先去冲咖啡，您可以慢慢想。您要喝咖啡吗？"

"不用了，在下的杯子里还剩了些可可呢。"

"那我先给自己冲一杯。失陪了。"

老波走下甲板，不一会儿就端了一大杯咖啡回来。

"您想好要听什么故事了吗？"

"嗯……老波先生已经做了很长时间的封印魔法师了吗？"

"是啊，已经快六十年了。"

"那您已经接待过很多很多客人了吧？在那些客人当中，有给您留下深刻印象的吗？"

"嗯……有。"

"我想听听那个人的故事。"

"……"

不知为何，老波沉默了一会儿。然后，他深深地叹了一口气。

"好的。正如您所说，我接待过很多很多客人。在这些客人中，的确有一位给我留下了非常深刻的印象。那是一个小女孩，遇到她的时候，我的胡子还是黑的，也远没有现在长。那时人们还叫我阿波……"

老波喝了一口咖啡，缓缓地讲起了那个让他感到有些沉重的故事。

5

怯懦的心

有这样一对完美的夫妇：丈夫个子高大，鼻梁挺拔，外表英俊，衣着时尚；妻子则像春天的女神一般优雅美丽，待人接物的礼仪和言谈举止都让人赞叹不已。

　　这对夫妇有三个孩子。其中，大女儿和二儿子不仅在相貌上完美继承了父母的优势，而且无论是学习还是运动都很优秀。

　　然而，最小的女儿库拉和哥哥姐姐完全不同：她胖胖的，脸上长了不少痘痘，一头红发乱蓬蓬的。当她和家人们站在一起时，外人完全看不出她和他们有血缘关系。

　　对于这个眼神怯懦不安、看起来一点儿也不可爱的三女儿，夫妇俩很少展现出爱意，还经常贬低她：

"你要是脑子聪明一点儿也就算了，可你怎么做什么都不行啊？"

"真是的。你完全不像我们俩的孩子。"

看到爸爸妈妈这么对库拉，哥哥姐姐也开始有样学样，总是嘲笑她、戏弄她。

"丑小鸭，一边去，别靠近我。"

"你长得真的太难看了。"

然而，无论家人们用多么难听的话攻击库拉，她都是怯生生地笑笑，绝不会生气。

库拉知道自己长得不好看，也不像哥哥姐姐那样学习、运动样样好，因此决心做个比谁都要乖的孩子。

这样一来，家人应该就不会嫌弃我了吧？库拉心想。

被人嘲讽时，库拉的心当然也会痛，她很讨厌这种痛苦的滋味。但比起痛苦，她更不想被别人讨厌。

只要不被人讨厌就好，我能忍受痛苦。

库拉非常有礼貌，从不任性，也从不抱怨。和家人一起参加宴会时，她从不引人注目，总是一个人悄悄地待在角落里。

就这样，因为害怕被伤害，库拉不知不觉养成了谨小慎微的性格。

可是有一天，库拉和哥哥之间爆发了激烈的冲突。

那个时候，库拉刚十岁。

那天，库拉正一个人在房间里看书，哥哥突然不客气地闯了进来。他似乎在学校里遇到了不愉快的事情，脸上的表情十分难看。

哥哥把自己的怨气全部发泄在了库拉身上。

"丑小鸭！你的脑子那么笨，还读什么书！"哥哥一边大喊，一边过来抢库拉手中的书。由于事发突然，库拉没来得及把书收起来，只能紧紧地攥在手里。

只听刺啦一声，书被撕成了两半。

"你这个笨蛋！都怪你！"

哥哥十分生气地吼道。接着，他挥舞着拳头朝库拉砸去。

惊骇和疼痛一齐向库拉袭来，她不由得放声大哭。

妈妈循声而来。

"你们在闹什么？"

"妈妈！"

哥哥立刻贴到妈妈身边，那张丝毫不逊于爸爸的帅气的脸上露出撒娇的表情。

"都是库拉不好，她突然发脾气把书给撕了。我想要阻止她，她却拿书打自己的脸。你看，她都把鼻子打出血了。"

"原来是这样。哥哥做得很好。库拉，你为什么要这么做？"

望着妈妈冰冷的目光，库拉用手捂着鼻子，拼命反驳道：

"不……不是这样的！是哥哥把我的书撕了，还打了我！"

"撒谎！你哥哥怎么可能做这种事？！你自己犯了错，还诬赖别人，真是个差劲的孩子！快去洗脸，血都要流到地毯上了。"

"妈妈，我饿了。"哥哥又撒起娇来。

"啊，正好家里有好吃的蛋糕。你快叫上姐姐，一起去吃蛋糕吧。"

两个人好像把库拉忘了似的，就这样走出了房间。

库拉沉默地蹲在地上。

好痛，好痛，我的鼻子好痛……但比这更痛的是我的心！我明明最讨厌痛了，却偏偏……我真讨厌这样……

她很想放声大喊，但也知道自己这么做的话只会惹家人再次生气，最后免不了又被训斥一番。

"还是去洗洗脸吧。"

库拉一边流眼泪，一边站了起来。接着，她被吓了一跳：不知何时，房间里升起了一片白色的浓雾。

浓雾吞没了家具、墙壁和天花板。渐渐地，库拉什么都看不见了。

难道家里着火了？

库拉很害怕，试图寻找房门逃出去。

当她伸出手摸索着前进时，房间里的雾突然淡了。

"怎么回事？"

库拉睁大了双眼。

浓雾散去后，她的眼前居然出现了一条陌生的街道。

这是哪里？不对，我是怎么来到这里的呢？

我不是应该在房间里吗？

库拉有些不安。她看了看四周，一个人影也没有。街道两边的房子也都静悄悄的。

不过，有一栋房子亮着灯。

库拉走近一看，又被吓了一跳。

这是一栋外观像罐头一样的房子，外墙用银色的金属制成，上面还贴着一张大大的红色标签，标签上画着一个留着黑色胡须的中年男子的笑脸，并且写着"封印屋"三个字。

好神奇的房子啊！库拉瞬间被它吸引了。

只有这一栋房子亮着灯，里面一定有人。我可以拜托里面的人告诉我回家的路。

库拉鼓起勇气，按下罐头房子的门铃。

很快，门就被打开了。开门的是一个戴着麦秸帽子、留着黑色胡须、身材高大的中年男子，他的相貌和那张标签上的画一模一样。

中年男子一看到库拉先吃了一惊。

"哎呀，你怎么流血了？快请进屋，我帮你处理一下伤口。"

男子一边说，一边将库拉请了进去。

罐头房子的内部布置得非常温馨：有毛茸茸的圆形地毯、大大的沙发和桌子；有瓶中船造型的装饰品；还有摆得到处都是的各种罐头，有些罐头摆成了高高的金字塔形状……

男子让库拉坐到沙发上，然后用轻柔的动作帮她处理鼻子上的伤。

"哎呀，你的鼻子都肿起来了。不过没关系，只要涂了这个软膏，很快就能消肿，而且这个软膏还能镇痛。你能忍一忍吗？"

"能。"

"真是个好孩子，你真棒。不过，你为什么会受伤呢？"

库拉小声地讲了一遍事情的经过。男子听完后，灿烂的笑脸一下子变得严肃起来。

"他怎么能对自己的妹妹乱发脾气呢？真是个糟糕的哥哥！我要是在场，一定会好好教训他一顿。"

"叔叔，您相信我说的话？"

"当然了，我知道你没有撒谎，肯定相信你啊。"

"……"

库拉顿时感动得说不出话来。她还是第一次被人如此温柔地对待，也是第一次感受到被信任。

男子向库拉做了自我介绍。原来他叫阿波，是封印魔法师，他的工作就是封印或解除封印。既然库拉能来到这里，那就意味着她需要封印魔法师的力量。

"小妹妹，你的愿望是什么呢？"

阿波静静地看着库拉，库拉也同样目不转睛地盯着阿波。

库拉从没想过自己会遇到魔法师。不过仔细观察就会发现，阿波的确不像普通人——他独自住在这么不可思议的房子里，而且他那黑色胡须的末端还挂着许多钥匙。

库拉的心怦怦直跳。

我可以说出自己的愿望吗？我会不会因为任性而被阿波先生责怪呢？

不行，不行，还是不要说了，太不像样了。在这种情况下，我应该先说"没关系，不用您费心"，礼貌地婉拒阿波先生，然后再向他询问回家的路吧？

然而，库拉一想到家中的状况，心中就感到一阵刺痛。

这个时候，爸爸妈妈、哥哥姐姐一定正聚在一起吃好吃的蛋糕吧，不会有人注意到我已经离开了家。我在那个家中，就像一个外人。

想着想着，库拉再也无法忍受心中的痛苦。终于，她开口说道：

"我想要封印痛觉。我想要变成感受不到任何痛苦的人。"

"真是一个罕见的愿望啊。"

阿波意味深长地看着库拉。

被阿波这么一看，库拉立刻败下阵来。

"对不起，我说了任性的话。这个愿望很难实现吧……"

"不难实现，我可以办到。我只是不太确定，如果这个愿望实现的话，对你真的好吗？不过，魔法师的职责就是实现客人的愿望。小妹妹，你就放心交给我吧。"

阿波干劲儿满满地接下了这份委托。随后，他告诉库拉施展魔法需要支付的报酬。

"你的请求是封印，而你要付出的报酬就是让我解除你身上的一个封印。"

"解除什么封印呢？"

"你身上有一个非常强的封印，那上面缠着层层锁链，还有好几把锁。就让我来解除它吧！这真是一件充满挑战的事情啊。我可以开始了吗？"

库拉点了点头。她没带钱，既然阿波说解除封印可以作为报酬，她哪有说不的道理。

"那就拜托您了。"

"好的。"

阿波唱了两首歌，第一首歌是为了封印库拉的痛觉，第二首歌则是为了解除库拉心中的某个封印。

唱完歌后，阿波递给库拉一把做工精细的小钥匙，钥匙柄上还有一个心形装饰。

"这是封印痛觉的钥匙。若是有一天，你想要解开这个封印，就把它放在胸口转几圈。好了，血已经止住了，你也该回去了，不然你的家人会担心的。"

"他们才不会担心我，他们肯定希望我永远不要回去。"库拉平静地说道。

不可思议的是，当她承认家人讨厌自己时，她竟然一点儿都不觉得痛苦了。看来，阿波的确把自己的"痛觉"封印了。库拉第一次感觉到心情轻松、愉悦。

"谢谢您，阿波先生。"

"不客气。"

但不知怎的，阿波的表情看上去有些难过。

库拉背对着阿波打开了房门。眨眼间，她就回到了自己的家。

"我回来了……"

库拉对着空气打了声招呼。她能听到对面的房间里传来阵阵欢声笑语。看来，家人们的下午茶时光过得十分开心。

仔细一想，这个家似乎一直把库拉当成外人，无论是下午茶还是野餐，好吃的蛋糕和糖果永远都是哥哥和姐姐的。今天应该也不例外，要是库拉现在过去的话，等待她的一定只有苦涩的茶。

"我明明也喜欢吃甜食！"库拉压抑多年的怒火瞬间涌了上来，而且这怒火令她亢奋不已，"既然他们总说我是个怪人，那我就作怪给他们看！"

是的，我再也不要忍耐了，从今以后，我想做什么就做什么！首先我要让哥哥后悔他刚才打了我。

库拉迈着大步，走向家人们所在的房间……

这里是充斥着危险和阴暗气息的暗黑街。街道上，无视法律的混混们大摇大摆地晃荡，诈骗犯毫无顾忌地闲逛。没错，暗黑街就是坏蛋和无赖的"天堂"。

然而，一位魔法师此刻正悠闲地行走在暗黑街上。他就是银行屋的魔法师吉拉特。吉拉特相貌十分英俊，有着黝黑的皮肤和银色的头发，一身带有金色扣子的古铜色西装更衬得他的身材健硕魁梧。

无论是他华丽考究的打扮，还是随身携带的手提箱，都十分惹人注目。一般情况下，这种人很快就会被暗黑街的坏蛋们骗到角落洗劫一空。可是没人敢对吉拉特下手，因为大家都知道他是暗黑街的女帝——刚罗夫人的朋友。在暗黑街，可没人敢招惹刚罗夫人。

吉拉特在一栋大宅前停下脚步，门卫一看到他就打开了铁门。看来刚罗夫人早有吩咐。

吉拉特不紧不慢地进入宅院，走进一间大会客室。

这是一个兼具儿童房、糖果屋和宝库功能的大房间，数不清的玩具和糖果堆放在房间中央，闪闪发光的宝石和装饰品在房间里随处可见。

吉拉特在心里暗叹一声：刚罗夫人的品位真是一如既往地差啊！他虽然很喜欢玩具和点心，但是看到刚罗夫人将这些东西乱七八糟地堆在一起，还是感到很不舒服。

这时，刚罗夫人从里面的房间走了出来。

她的打扮有着鲜明的个人风格：身上穿着令人眼花缭乱的荷叶边连衣裙，颜色灰暗的头发用蝴蝶结扎着，手指和脖子上戴满耀眼的宝石。她的审美让人不敢苟同，她本人却拥有令人不敢小觑的强大气场。

刚罗夫人边走边把巧克力塞进满是蛀牙的嘴里，吉拉特恭敬地低下头说道：

"打扰您了，刚罗夫人，我是不是耽误您吃点心了？"

"是的。不过没事，我随时欢迎你来，毕竟你每次都会带来我想要的东西。"

"那是因为您是一位付钱非常爽快的客人。"

"哈哈哈！那么，今天你又给我带了什么？快拿出来给我看看。"

刚罗夫人表现得就像等着收礼物的小孩子一样，眼神中充满了贪婪和好奇。

"这次的东西，您一定满意，毕竟您还专门为此设置了悬赏金嘛。"

吉拉特一边说，一边从手提箱里取出一个大罐头，

罐头的标签上画着一个年轻男子的面庞。

刚罗夫人接过罐头，一看到上面的标签就怒不可遏地说：

"这个家伙违反了和我的约定。他明明答应会找到我喜欢的玩具，却不知道跑到哪儿去了。原来是躲在这个罐头里了啊！……他死了吗？"

"没有，只要打开罐头，他就会从里面出来。他是被封印在里面了。"

"封印……"刚罗夫人神色一变，像是突然想起了什么，"这……难道是封印魔法师阿波先生做的？"

"是的。您认识阿波先生？"

"嗯，我和他是老相识了。我曾承蒙阿波先生的照顾……话说回来，没想到你还真把这个家伙给我找来了，悬赏金是你的了。请像往常一样，找我的手下领钱吧。"

"谢谢您，刚罗夫人。"

吉拉特鞠了一躬，离开了会客室。

现在房间里只剩刚罗夫人了。此时的她一改平常的模样，用怀念的语气对着罐头说道：

"没想到又和你的魔法见面了。阿波先生，你还好吗？我可没有忘了你啊。不过，你要是看到现在的我，一定认不出来了吧？我连名字都改了，现在叫刚罗夫人。怎么样，听起来很霸气吧？"

刚罗夫人好像把罐头当作了阿波，不停地对着它喃喃道：

"阿波先生，真的很感谢你，因为遇到了你，我才拥有了自由。你看我的事业做得多大啊！我现在可是暗黑街的女帝，想要的东西全部唾手可得，想干什么就干什么。这都是托了你的福。至于我的家人……哼，我早就和那些坏心眼的人断了联系，我不想再看到不爱我的家人。但是……你不一样……"刚罗夫人的声音变得柔和起来，"我一直都想再见你一面。不管怎么说，你都是我的恩人，我想让你看看我现在的样子。现在的我，无所不能……"

然而，刚罗夫人只在回忆中沉浸了片刻，便很快回过神来。她的眼神又变得冷漠起来。

"好了，自言自语就到此为止。点心也吃完了，我可以开始工作了。"

她的嘴角浮现出一丝嘲讽的笑容，然后吩咐手下把开罐器拿来。

"好了……故事到这里就结束了。"

此时，封印魔法师老波的表情就像他喝的咖啡一样苦涩。

"老波先生，您怎么了？"

"我一直有些后悔……我当时是不是不应该给那个孩子施加封印魔法……因为我的魔法，那个孩子再也无法感受到痛苦了。她不仅感受不到自己的痛苦，也感受不到他人的痛苦。此外，我还将她从忍耐中解放出来，让她的心灵长出了邪恶之花。这也许都是我的错。我一听吉拉特说暗黑街的女帝认识我，马上就反应过来了——她就是当年的那个孩子。总有一天，罪行累累的她会受到惩罚的……只要一想到这里，我就觉得心痛难忍。"

"您别这么想。"比比立即安慰道,"这不是您的错。她做出这样的选择,肯定也没有后悔过。"

"是吗?"

"那是当然啦!"比比似乎有些生气,声调都提高了不少,"不管重来几次,她肯定都会做出同样的选择。其实在下非常理解她的心情,在下也经历过心灵被束缚的时刻。"

"比比小姐也经历过?"

比比的话让老波有些惊愕。

如此自由奔放的比比,难道也有过心灵被束缚的经历?老波突然意识到自己对比比的过往一无所知。

"说起来,比比小姐,您是什么时候成为魔法师的?您要是不介意的话,能给我讲讲吗?"

"好啊。在下是几年前成为魔法师的。在这之前,在下觉得自己只不过是个无聊的普通人。"

比比把吃了一半的三明治放回盘子上,讲起了自己的故事。

6

被关住的女孩

比比还是个婴儿的时候，每天的表情就十分丰富且极具感染力。比如她笑起来的时候像太阳一样明艳灿烂，哭的时候则像暴风雨一样声势浩大。

比比还非常喜欢看天空，当她看到云的流动和晚霞颜色的变化时，表情也会随之变来变去。

奶妈总说："这孩子是个天气专家呢。"

不过，奶妈也因此对比比的未来十分担心："这孩子将来肯定会吃不少苦头。"

奶妈之所以会这么说，是因为比比是朱利坦伯爵的独生女。朱利坦家族是名门望族，在整个社交界都非常有名。为了将来能够继承家业，延续家族的荣光，比比一定会被培养成符合家族身份的名媛淑女，而不可能跟与天气有关的职业扯上关系。

为了满足伯爵夫妇的期待，比比从小就接受了非常严苛的教育：修养、礼仪、学识……无一不被严格要求着。

在这样日复一日的重压下，比比的心变得越来越封闭。她原本丰富的表情也越来越少，每天像戴着一张面具一样，因为家庭教师曾训斥她："淑女笑的时候是不会张大嘴巴的。"

比比十一岁时被送入了寄宿学校。这是一所以纪律严格著称的名校，不少学生受不了学校严苛的管理，哭闹着想要回家。

然而，比比却没有多少想家的感觉。

对她来说，家和学校都是一样的，都是令人憋闷窒息的、难以逃离的监狱。

比比在学校里没有交到知心的朋友。她周围的所有同学都像用同一个模子烤出来的饼干一样毫无个性。

比比每天都过得索然无味，只好通过麻痹自己内心的方式度日。

然而，她偶尔还是会有内心的某个东西被唤醒的感觉，尤其是当天气发生变化的时候。

当夏天的积雨云越来越近，投下巨大的黑影时；

当伴随暴风雨而来的电闪雷鸣撕裂天空、响彻天空时；

当雪花纷纷扬扬地飘落时；

当小雨淅淅沥沥地低语时……

每当看到天气的变化，比比总觉得心里一热，仿佛有什么东西要涌上来。然而这种感觉就像点燃了受潮烟花的导火线一样，烟花还未绽放就自己熄灭了。这么一来，比比更加落寞了。

她变得不想再感知外界，而是蜷缩在自己的壳里，越躲越深。

有一天，美术课上，老师对大家说：

"今天我们要画一幅关于自己未来的素描。在你们的心目中，你们未来会成为什么样子呢？请大家画出来吧。"

对比比来说，这是一件再简单不过的事情，因为她的未来早已被定好了，那就是成为一个美丽的淑女，以女伯爵的身份继承朱利坦家族的产业。

父母和老师告诉她，这是她的命运，也是她的幸福所在。

比比准备画出自己长大后成为女伯爵的样子。然而不知为何，她迟迟无法动笔。

不仅如此，她连想象都想象不出来，反而满脑子都是其他毫不相干的东西，比如一顶红黄条纹的大帐篷。

比比突然想起来了。

"啊，那是马戏团的帐篷。"

没错，比比曾去过一次马戏团。那还是因为奶妈注意到比比很久没有笑过了，所以悄悄带她去了马戏团看表演。

"要对你的爸爸妈妈保密哟。"当时，奶妈对比比千叮咛万嘱咐。

比比跟着奶妈来到了在城外的空地上搭建的一顶巨大的帐篷里。

帐篷里是一个充满梦幻的世界：杂技演员在空中

走钢索、荡秋千，像妖精一样轻盈灵活；穿着鲜艳衣服的小丑引人哈哈大笑；比比只在绘本上见过的狮子、猩猩和大象在表演杂耍，一旁站着指挥它们的驯兽师；还有像魔神一样会喷火的男子……

没想到世上还有这么有趣的事。比比舍不得眨眼，沉浸在马戏团的表演中。

一直到全部的表演都结束后，比比仍然不想走，恳求奶奶再待一会儿。

"就待一会儿！我还想再待一会儿！求您了！"比比哭喊着。

"哈哈哈……你这么喜欢我们的表演啊，真令人高兴。"

和比比搭话的是一个声音清朗、拥有小麦色皮肤和红色鬈发的少年。他双眼炯炯有神，穿一身帅气的银黑色演出服，头上还戴着装饰有狐狸耳朵的帽子。

比比立刻回想起来，这个少年是驯狐狸的人，在刚才的演出中负责指挥狐狸们钻火圈。

少年看着脸上还挂着泪珠的比比，笑着说道：

"不要哭了。你不哭，我就带你去看我养的狐狸宝宝。"

也许因为少年是外国人，他的发音听着有些奇怪。但是他的提议正中比比下怀。

比比的眼睛一下子亮了。她回头看了看奶妈。

"奶妈，您听到了吗？他说要带我去看他养的狐狸宝宝！我可以去吗？拜托了！"

"只是看狐狸的话……好吧，但是你要快去快回。"

奶妈勉强同意了比比的请求。

于是少年牵起比比的手，把她带到了另一顶帐篷里。帐篷深处，三只刚出生不久的狐狸宝宝正在篮子里睡觉。它们实在太可爱了，比比一下子就被迷住了。

"太可爱了！它们有名字吗？"

"当然有啦。从这边起，依次叫小一、小二、小三。"

"它们长大以后，也要去表演吗？"

"嗯，为了让它们能早点儿开始表演，我每天都给它们喂奶。我喂奶时，它们就像小狗一样与我亲近。"

"哇，好棒啊！"

“你可以抱抱它们，但是要轻一点儿。”

比比在这顶帐篷里差不多只待了十五分钟，但在这短暂的时间里，少年给她讲了许多关于马戏团的事。

马戏团的成员们没有固定的住所，大家从这座城市赶到那座城市，从这个国家跑到那个国家，过着四处漂泊的生活。他们每到一个地方都要搭建帐篷，照顾动物，分发海报，吹奏音乐。到了夜晚，大家就赏赏月、望望星，聆听占卜师的故事和魔术师的笛声，分吃小丑做的松饼。

少年讲述的事情就像童话故事一样，让比比心神荡漾。她还想再听一会儿，却被奶妈打断了。奶妈慌慌张张地走进来说：“比比小姐，我们必须回去了。”

“不要！我还想再听一会儿！”

“不行！我们必须马上回去！快点儿！”

比比的手被奶妈抓住，她又开始哭鼻子了。

“不要哭。”一旁的少年对比比说，“好运看到泪水会逃走。希望你还能来看我们的表演，到时候我教你跳狐狸舞。”

"狐狸舞？"

"嗯。不知为何，我觉得你非常适合马戏团，适合做我们的伙伴。"

"……"

比比即使年纪还小、涉世未深，也知道这是不可能的。但是，她只要想象着自己成了马戏团一员的情景，就感到兴奋不已。

比比按捺住自己想要说出"我想和你们成为同伴"的急切心情，只对少年说："我还会再来的！"这样约好后，比比便和奶妈一起回到了家中。

然而，比比没能履行与少年的约定，因为父母知道了她去马戏团的事情。

"你竟然带我们的女儿去那种地方！"

伯爵与夫人怒火中烧，不顾比比对奶妈的依恋，将她辞退了，又为比比聘请了一位家庭教师。这位老师就像军人一样严厉，每天都寸步不离地跟着比比，简直就像是在监视她一样。

然而，不管父母和家庭教师有多么严厉，他们都无法夺走比比的回忆。在马戏团看演出的短暂时光，还有和少年的交谈，一直被比比珍藏在心里。

到了今天，这些回忆仍然历历在目。

要是可以，我……我想成为马戏团的成员。

像他们一样自由自在地在蓝天下生活，那该多么畅快啊！我真想脱掉这身无聊的制服，穿上华丽的、特别的衣服。我想照顾狐狸、老虎和蛇，还想做小丑的助演！

比比无法压抑这份心情，所以将自己的想法画到了纸上。

她完成了一幅令人心潮澎湃的关于马戏团的画：在大帐篷中央的舞台上，比比、红发少年和一群火红的狐狸跳着快乐的舞蹈；一旁的男子喷出绿色的火焰；小丑变出一只紫色的蝙蝠，将表演推向高潮；观众都在大笑着拍手叫好……看着这幅画，无论是谁都能感受到现场的热闹氛围，欢呼声与掌声仿佛也透过画面传了出来。

比比十分满足，自认为画得很好。

然而，这幅画却给比比带来了麻烦。老师们得知她竟然有这种"上不了台面"的梦想，纷纷议论起来，还以最快的速度叫来了伯爵夫妇。比比被这些大人狠狠训斥了一顿，其中，数她的父亲怒气最盛。

他把比比的画撕碎，并怒斥道：

"你何其有幸能生在伯爵家这种锦衣玉食的家庭里，没想到竟然想跑去当马戏团的成员？！我对你太失望了！你真让我丢脸！既然这样，我还不如把你的堂兄加奥收为养子，让他继承家业。"

听着从父亲口中说出的激烈又无理的话语，比比终于忍无可忍了。

一直以来，她都对父母言听计从。但此时此刻，她不想让他们贬低自己的梦想。

突然觉醒的愤怒和反抗心理激发了比比潜在的行动力，让她决定去寻找自己的梦想。

"请让加奥来当朱利坦家族的继承人吧。请忘了我。比比敬上。"

比比留下这张字条，又把被父亲撕碎的画粘好，和

113

几套换洗衣服、一些饼干一起放进了背包里。等到夜深人静的时候，她背着背包离开了学校。为了不被人发现，她径直逃进了附近的森林中。

只要穿过森林，差不多第二天早上就可以到达隔壁城市的港口。那里应该没人认识她，这样一来，她就可以打听马戏团的去向了。比比计划找到马戏团，恳请他们将她留下，反正她再也不想回到家和学校去了。

比比满怀希望和决心，向黑暗的森林深处走去。

然而现在已是深秋，夜晚的森林寒冷刺骨，在她毫无察觉的时候，她的体温正一点点地下降。

等她终于意识到时，她已经全身冻僵，无法继续向前走了。

比比哆哆嗦嗦地蹲了下来。

如果我现在呼救的话，也许会有人发现我，也许会有人来救我，但是这样一来，我又会被送回学校了。不要，我绝对不要……

但是，我也不甘心就这样冻死在这里。

我好不容易……才找到自己想做的事……

比比的意识逐渐模糊。恍惚中，她又想起了马戏团。

那个光怪陆离的马戏团！啊，真想再看一次他们的表演！看，就是那道光……啊，光……它一点点地向我靠近，我的手都快碰到它了……

"醒醒，喂，快醒醒！"

有人在比比耳边轻柔地呼喊着，这让她恢复了些许神志。

光就在她的眼前，同时还有一张陌生女人的脸。

女人把一个小杯子递到迷迷糊糊的比比嘴边，喂她喝了些什么。那是一种甜甜的又带着点儿辣味的饮料，比比刚喝下去就感觉自己体内像有个小火球在到处乱窜一样。她立刻暖和了起来，并且恢复了精神。

意识完全清醒的比比好奇地盯着眼前这个救了自己的女人。

女人看上去胖乎乎的，金茶色鬈发像数不清的小旋涡，大大的瞳孔泛着柔和的青草色。从晒得黝黑的皮肤看，她像个每天辛勤耕耘的农民，但她穿的是探险家才会穿的衣服，还背着一个由邮票拼接而成的双肩背包。真是一个奇怪的人！

最让比比感到奇怪的是女人头上的帽子，它看上去和提灯一样，还散发着金色的光。看来，是它照亮了四周。

女人笑着对瞠目结舌的比比说：

"太好了，你的脸色恢复正常了，看样子已经好了。不管怎么说，在这种地方找到你，真是我的幸运啊。"

"找到我？"

比比立刻警惕起来。她身体前倾，做出时刻准备逃跑的姿势。

比比对女人说：

"我不回去，我不想回去！"

"你不必回到曾经待过的地方，但你必须去你该去的地方。"

"你是让我回家吗？那个家还不如学校呢！"

面对大声尖叫的比比，女人耐心地解释道：

"请你冷静点儿。你该去的地方是黄昏横町二

丁目。"

"我……我根本没听说过那个地方。"

"那是自然了。黄昏横町二丁目是魔法师们居住的街道，也是你未来要生活的地方。"

"什么？"

比比有些不知所措。女人继续缓缓说道：

"你是一位魔法师。你的体内沉睡着魔法。既然你被我找到了，那就绝不会错。你可以好好回想一下，以前有没有感觉到自己内心有股沉睡的力量？有没有过内心深处有东西要涌上来的感觉？"

"……"

"看来你确实有过类似的感觉呢。那么，我就不用多解释了。来，把手伸出来，让我找到你的魔法，让它苏醒。然后，我就带你去黄昏横町二丁目。"

"你到底是谁？"

"我是搜索魔法师米内，拥有发现的魔法。"

米内说着用一只手抓住比比的手，又用另一只手从口袋里取出一个放大镜。

她用放大镜仔细地观察着比比的手，同时开始温柔地唱歌：

小檗、菖蒲和猫眼草，

千只眼，万只眼，集合吧！

去寻找、去探索那些失去的东西！

如果暗夜里亮起光芒，

断绝的道路便会重新连接。

小檗、菖蒲和猫眼草，

让紧闭的双眼睁开吧！

歌声中的力量一点点地注入比比的内心，令她突然感到全身发痒。

怎么回事？明明被施加魔法的是自己的双手，她却觉得有人在自己的内心深处乱戳。仿佛为了回应这股外力，她感觉那里有什么东西正在醒来。

这时，米内大喊道：

"找到了！快，醒来吧！"

119

话音未落，比比突然感到内心涌起了一股强烈的冲动，像狂乱的暴风雨——不，简直像龙卷风一样要冲出她的体内，让她难以忍受。

她开始害怕起来，张开口想要叫喊，然而从她口中传出的却是一首歌：

哪里有朝向太阳的向日葵？

我的眼前只有满天星。

我想要功效众多的鸭跖草，

漫山遍野却只有香蜂草。

今天的花不满意，

那就换一朵。

想要的花啊，请到我手中吧。

歌声结束的时候，比比已经知道自己的身份了。

"我是……天气魔法师。我是能操纵天气的魔法师！"

"对！做得好！"米内满意地笑了笑，"好了，接下来让我带你去黄昏横町二丁目吧。"

"可是，天这么黑，我们会迷路吧。我们明天早上再去好吗？"

"没关系，只要搜索一下，我就能找到你要去的地方。快看，我已经找到了。"

米内用放大镜对着前方。不一会儿，她牵起比比的手步入黑暗之中。

没多久，两人就来到了一条不可思议的街道上。这里到处都是奇形怪状的房子，比比的内心被一种陌生的感觉填满了。

这种感觉与其说是震惊，不如说是兴奋，就和她去马戏团时一样。她莫名地相信，在这里，自己一定会遇到很多有趣的事。

比比用手抚了抚怦怦直跳的胸口，看向米内：

"这些全部都是魔法师的房子吗？"

"是的。你看那里，那栋罐头房子的旁边有块空地，你就在那里建造自己的房子吧。对了，建房子之前，你可以先去拜访一下十年屋，他那里肯定有你需要的各种东西。十年屋的标志是一扇白色大门，上面镶嵌着带有勿忘我图案的彩色玻璃。"米内说到这儿，将自己的手从比比手中抽了出来，"原本我应该陪你一起去的，但是我还有要紧的工作要处理。我们就在这里分别吧。后会有期。"

比比还没来得及开口挽留，米内就消失了。

比比又变成了独自一人。她心中有些没底，但还是按照米内说的找起了"十年屋"。

幸运的是，她很快就找到了。她推开那扇白色的大门走了进去，发现房间里的东西多得堆成了一座座小山，有的都快要倒下来了。

比比一脸震惊地继续往里面走，发现一位绅士站在前面不远处。他身材颀长，穿着白色衬衫、深棕色的马甲和裤子，围巾的颜色令人联想起黎明的第一道阳光。他告诉比比自己名叫"十年屋"，也是位魔法师。

"天气魔法师比比小姐，欢迎您成为魔法街上的新居民。同时，非常欢迎您挑选本店的商品，什么都行。请问，您想要什么呢？"

"您这里都有什么呢？"

"如您所见，本店的商品十分丰富，您想要的，本店基本上都会有。您只要告诉我想要什么就可以了。"

十年屋的声音很温和。比比听他说话时，觉得自己似乎被赋予了某种勇气。她从背包中拿出自己的画——那张曾被她父亲撕碎的画——将其展开，对十年屋说：

"我——不对，在下想住在帐篷里。您这里有这种帐篷吗？"

十年屋笑着点了点头。

就这样，黄昏横町二丁目多了一顶有着红黄条纹的帐篷。

比比的故事讲完了，老波点了点头，似乎感触颇深。

"原来如此啊……我都不知道您的魔法是被搜索魔法师发现的。"

"老波先生的魔法呢？难道不是被米内女士发现的吗？"

"不是。我的家族本来就有魔法师的血脉传承，我很早就发现自己是魔法师了，所以没有经历过您这般戏剧性的事。"

"是吗？那在下就不问老波先生的人生经历了。不过，在下想请您讲另一个故事。"

"什么故事？"

"就是您和都留婆婆的故事啊。"

老波被比比的大胆吓得呆住了，比比却不管不顾地继续往下说：

"您为什么会喜欢都留婆婆呢？您是什么时候喜欢上她的？又是在哪里喜欢上的呢？您喜欢上她的契机是什么呢？全都讲给在下听吧。"

"啊……必须讲吗？"

"在下特别想听！"

比比一边大口吃着芝士曲奇，一边双眼放光地盯着老波。

老波认输似的叹了口气。

"好吧。我喜欢都留女士的契机是在半年前……"

就这样，老波讲起了自己与都留的故事。

7

焕然一新的房子

封印魔法师老波兴高采烈地制作着自己最喜欢的瓶中船模型。

要想制作这种模型，打造出一个个完美的小世界，就得将贝壳、人鱼玩偶和帆船模型巧妙地摆放在玻璃瓶中。做这项工作必须足够细致、足够耐心，因此，每完成一个模型的成就感都是无与伦比的。

"好，做好了！"

老波终于做完了一个新的瓶中船模型，心满意足地舒了口气。

这时，他感到有人在呼唤他。

"哎呀，似乎有人需要我的魔法。"

老波立刻站起来，想要去门口迎接客人。

可是他打开房门后，却发现自己来到了一个陌生的房间里。

老波有些惊讶，因为往常都是客人来到他家里的。

他环视着这个房间：墙上挂着巨大的航海图和关于鱼的画，架子上摆着各种珍奇的贝壳和钓钩。此外，房间最里面的床上躺着一个老人。

老波立刻意识到这个老人就是自己的客人。

只见他脸色苍白，呼吸也很微弱。老波明白了，老人的身体状况不好，没办法下床，所以才把自己叫到了这里。

老波走到老人的床边。

老人被突然出现的老波吓了一跳，瞪大了双眼问道：

"你……你是谁？"

"我叫老波，是封印魔法师。我感受到您的呼唤，所以来到了这里。"

"封印……魔法师？"

"是的。我能用魔法封印东西，也可以解除封印。我想，您应该需要我的魔法吧。难道不是吗？"

老人浑浊的眼球中一下子迸发出了光芒。

"对，对！你来得正好，我有一件事要拜托你。我想让你封印我对大海的向往！"

"您对大海的向往？"

"嗯。我十五岁就开始出海了，但几年前因为身体出了问题，我再也不能出海了，所以不得不留在陆地上生活。但我还是非常喜欢大海，越是躺在床上不能动，就越想要出海。"

"有这样的向往也不是什么坏事呀。"

"不，不行……"老人摇了摇头，"我的记忆时常混乱，我经常忘记自己年龄大了，或是忘记自己已经不能动了，所以总是闹着要出海。为此，我总是和照顾我的儿子、儿媳吵架。我不想再给他们两个人添麻烦了。我已经时日无多了，只想平静地度过我生命的最后一段时光。"

"原来如此，我明白了。就让我来实现您的愿望吧。"

老波迅速施展魔法，将老人对大海的向往封印到一个小罐头里。

"好了，这样就完成了。这是封印的钥匙，您想留着吗？"

"不，不用了，我没打算解除封印。我对大海的向往，还有那把钥匙，都给你了。"

"既然如此，那我就收下了。本来我还需要解开您身上的某个封印当作报酬，那么这次就用这把钥匙代替吧。"

老波说完，将钥匙挂在自己的胡须上，又将罐头放进了自己的口袋。

"谢谢你，魔法师。这下我终于感到轻松了。"老人笑了，脸上露出释然的神情。

之后，老波向老人道别，回到了自己家中。

然而，他刚一回来就惊呆了，自己家的房子竟然倾倒了。

"哎呀，真糟糕。怎……怎么会变成这个样子呢？"

眼前的一切令老波难以接受，他一动不动地呆立在那儿。

这时，银行屋魔法师吉拉特正好经过，向老波打了个招呼。

"老波先生，您没事吧？"

"嗯……啊，是吉拉特啊。我没事，但是我的房子……"

"哎呀，太糟糕了。是被刚才的龙卷风吹的吧？"

"龙卷风？街上刮龙卷风了？"

"是的，难道您没看到刚才的龙卷风？"

"没有……我刚才因为工作外出了，不在家。不过，我们这儿真的有龙卷风吗？"

"嗯。刚才有一阵巨大的龙卷风席卷了整条街，您不在家反而是一种幸运呢，否则就太危险了。我正在四处巡查，统计受灾的情况。现在看来，您家的情况或许是最严重的。您必须赶快修理房子才行。"

"我……我知道，但我实在不擅长修理房子啊……修理瓶中船模型我倒是在行……"

"这样啊。我倒是很想留下来帮忙，只是我还要继续巡查……啊，对了！"吉拉特猛地拍了下手，"您不如去拜托改造魔法师都留女士。"

"都留女士？"

"是的，就是都留女士。"

"可是，修房子这么大的工程，能交给她吗？"

"绝对没问题。色彩魔法师阿靛的房子就是她建的。把您的房子重新修理好，对都留女士来说简直是小菜一碟。那么，我就先告辞了。"

说完，吉拉特就急匆匆地离开了，留下老波一个人自言自语道："都留女士啊……"

他当然知道改造魔法师都留女士，那是一个精气神十足、很有行动力的老婆婆。她总是穿着缝满了纽扣的衣服，戴着插满了缝纫工具的帽子，还将齐肩的短发染成了亮粉色。

自己第一次和她见面是在八年前了吧？那时，老波正在路边和十年屋交谈，都留女士毫无顾忌地走过来插话道："嘿，十年屋，原来你在这里啊。"

"啊，是都留女士啊。老波先生，您和都留女士还是第一次见面吧？我来介绍一下。这位是改造魔法师都留女士，最近刚搬到咱们街道。都留女士，这位是老波先生，他是一位擅长使用封印魔法的魔法师。"

"你好。改天我再和你好好聊，现在不是时候。"
都留兴致寥寥地和老波打了声招呼，然后转头对十年
屋说道，"十年屋，你现在赶快回店里！我需要改造的
材料。"

"现在吗？"

"我不是说了现在吗？好了，快回店里吧！"

"啊？请……请等一下！"

"我等不及了。"

都留一把拽住十年屋的胳膊，不容分说地将他拖
走了。

"哎呀，真是个强势的人啊！"老波目送着两人离
去的背影感叹道。

初次见面，都留给老波留下了任性、强势的印象。
用一句话概括，老波不擅长与都留这种性格的人相处。

还是不要与她走得太近，保持点头之交就好。老
波暗下决定。

就这样，他与都留虽然住在同一条街上，却一直

没什么往来。然而他怎么也没想到，自己现在竟然要拜托都留帮忙。

"哎呀，哎呀，我总觉得心情很沉重啊。可没办法，现在我只能去找她了。"

老波决定先去都留的店里看一看。

改造屋看上去就像一个放大版的针线盒，屋顶上堆着五颜六色的巨大毛线球，外墙被无数颗纽扣覆盖住，就连桃粉色的大门也是纽扣造型。

打开纽扣门走进店内，能看到里面摆满了各种令人心动的商品，有漂亮的玩具、闪闪发光的首饰、可爱的小摆件、精致的八音盒等。

据说这些全是都留用别人不要的东西改造而成的，真是了不起啊。

老波正感叹时，都留从里间走了出来。

"欢迎光临。哎呀，你不是……？"

"您好。好……好久不见。"

老波紧张万分，都留却大大咧咧地笑着说：

"确实是好久不见。这还是你第一次来我的店里

133

吧？我真开心啊！咱们俩好像一直没什么碰面的机会。之前十年屋邀请大家去野餐时，你也没去。"

"那个时候我正好很忙，真的很遗憾。我今天来是有事想请您帮忙，您可以听听我的需求吗？"

老波将自己的房子被龙卷风吹得七扭八歪的事讲给了都留。

"总之就是这么回事。能不能请您为我重新建个房子呢？我现在的房子本来就到处有问题，也没必要修理了。"

"好啊！"都留毫不犹豫地答应下来，看起来还很开心，"我给阿靛建房子的过程就非常愉快，因此一直想再建一个玩玩呢。你找我算是找对人了！"

"谢谢，都留女士，您真是个好人。"

"交给我吧，我很喜欢做这种有成就感的工作。那么，你想住在什么样的房子里呢？有什么要求，别客气，全说出来吧。"

"好……好的。"老波立刻在脑海中勾勒出自己理想中的房子，"无论房子的外观是什么造型，我都能接受，我只希望来到我家的客人能够第一时间认出它是'封印屋'。最重要的是，我需要一个放置封印罐的房间。我现在的房子里没有这种房间，封印罐只能到处乱堆，这让我非常苦恼。"

"嗯，收纳的确很重要。我知道了，我会为你做一间大的收纳室。还有其他要求吗？"

"让我想想……我暂时只能想到这些。"

"那么，我们就先去你家那边看看吧。路上你要是想到什么要求，随时跟我说。"

"谢谢您。"

老波感到有些意外。他本以为都留女士是个既任性又强势的人，可万万没想到，她竟然这么细心。

老波在心中反省自己之前误会了都留。

就这样，两人一路走到老波的房子前。

看到老波破败的房子，都留不由得发出一声惊叹："受损真的很严重呀！看来你也被卷到这场莫名的灾难中了。"

"是啊，这条街之前从没遭到过龙卷风的袭击。房子倾斜成这样，里面肯定也是一团糟，我的收藏品一定都被破坏了。啊，对了，都留女士，我可以再加一个要求吗？"

"当然可以，你说。"

"这次我想要一个绝对不会倾倒的房子，我不想再因为龙卷风而担惊受怕了。还有，我想要一个牢固的架子。我的爱好是制作瓶中船模型，我想把制作好的模型摆在架子上当作装饰。"

"啊，那你的确需要一个架子。我知道了。"

都留抱着胳膊，认真思考起来。

"我大概有了初步的设计想法，但是，还少了什么东西……对了，我从刚才就很好奇，你身上带着的是什么东西呢？"

"什么？"

"我的直觉告诉我，你身上带着你用不着的东西。"

"我用不着的东西……难道是这个吗？"老波从口袋中取出一个小罐头，"这是我刚刚完成的封印，里面是一个老船员对大海的向往。他说自己不能再留着它了，就让我把它封印起来了。"

都留一看到这个小罐头，就开心地拍手叫好："这个，这个！啊，太棒了！我可以把它当建筑材料吗？用它一定能建造出让你满意的房子。"

"啊，好啊，您请用吧。"

"谢谢！这下就都齐了。那么，就让我开始改造吧。"

都留轻轻地把小罐头放在老波现在的房子前，张开双手，开始唱歌：

松叶、荨麻、黑蔷薇，

针之守护者，来我身边。

木贼、鼠曲草、鸡眼草，

听我召唤，速速聚集。

重新编织旧日之记忆，

面向未来为他创作。

让毁坏之物重获新生，

如同谱写一首新歌。

魔力随着歌声的流动变得越来越强。渐渐地，一股金色的光芒包裹住了老波倾斜的房子。

与此同时，都留帽子上的剪刀和针飘浮到空中，灵活地动了起来：剪刀就像在裁剪看不见的布，针就像用透明的线在缝制衣服。

歌声消失后，剪刀和针又回到了都留的帽子上，金色的光也一点点消失了。

"天啊！"

老波发出一声惊叹。他看到自己原先的罐头房子不见了，取而代之的是一个横放在地上但依然比人还高的瓶中船模型——巨大的透明玻璃瓶中有湛蓝的海水和一艘漂浮其上的白色帆船。

"都留女士，这……这是……？"

"哈哈！因为你说你喜欢瓶中船，我就试着把房子的外观做成了这个造型。看，瓶塞那里就是门，我们快进去看看吧。"

打开瓶塞门，两人一下子被吸进了瓶子里面。

"真是太棒了！"老波又发出了一声惊叹。

此刻，他和都留站在白色帆船的甲板上，漂浮在湛蓝的大海中央。

"这片海是用你给我的封印罐头做的。好了好了，别发呆了，我在帆船里建了几个房间，快去看看吧。"

老波被都留催促着来到了帆船内部。这里面有好几个房间，还有老波先生喜欢的沙发和家具。

老波惊讶得说不出话来，而都留则在旁边一一为他介绍：

"这儿有一间卧室、一间客房、一间放封印罐头的收纳室，还有一个空房间，你可以按照自己的喜好进行装饰。当然，我已经在里面放好架子了。卫生间和厨房也都有。怎么样，你喜欢吗？"

"我非常喜欢……简直太棒了！谢谢您，都留女士。"

"哈哈，不客气。"

都留开心地笑了起来。她的笑容深深地打动了老波。

这是多么有魅力的笑容啊！老波感觉自己对都留

产生了新的感情。

他对都留说：

"您为我改造出这么漂亮的房子，我该怎么感谢您才好呢？我拥有封印和解除封印的魔法，您需要哪个呢？"

"我暂时没有需要你帮忙的事，等有了再告诉你吧。不过，我有一个不情之请。"

"您说吧，什么我都答应您。"

"我可以偶尔来你这里钓鱼吗？我非常喜欢吃鱼。"

"当然可以啊。我也很喜欢钓鱼，我们以后可以一起钓。"

"听起来不错。"

都留又笑了起来。

这个笑容再一次击中了老波先生的心。

"总之，就是这么回事。都留女士明明和我没什么交情，却尽心竭力地为我改造房子。我觉得这样的她非常有魅力……比比小姐，请您不要取笑我。"

"可在下真的觉得很好笑，您竟然这么多年都没有发现都留婆婆的魅力。老波先生，您可真迟钝啊。"

"被您这么一说，我真的感到十分难为情。我正在深刻反省自己这么多年的所作所为。"老波叹了口气，继续说道，"通过这件事，我也认识到，其实只要和那些原以为难相处的人深入交谈一番，就会发现大家都很合得来。我这次邀请比比小姐您来参加下午茶会也是这个原因。"

"也就是说，老波先生曾经觉得在下很难相处吗？"

"糟了……"

比比假装瞪了一眼有些尴尬的老波，然后笑了起来。

"哎呀，没关系。托老波先生的福，在下度过了一段开心的时光。在下吃到了这么多好吃的，还听了那么多故事，可满足了！"

"这个下午，您过得开心吗？"

"嗯，在下非常开心。"

"我也是。那您愿意再来参加我的下午茶会吗？"

听了老波的话，比比一下子雀跃起来："当然愿意了！哇，太开心了！在下成了老波先生的茶友。"

看着兴高采烈的比比，老波也露出了笑容。然后他看了一眼挂在桅杆上的时钟，突然慌了起来。

"哎呀，已经这个时间了。我们准备结束吧。"

"好啊。不过，在下怎么感觉老波先生是在催促在下离开啊。"

"您的感觉真敏锐啊。其实今天下午我和都留女士也有约，她等会儿来找我钓鱼。"

比比心领神会地笑了起来。

"原来是有约会啊。那么，在下这个碍事的'电灯泡'就先告辞了。请您好好享受约会吧，在下先走了。"

"好……好的。再见，比比小姐，请慢走。"

如此，天气魔法师和封印魔法师的下午茶会便结束了。

尾声

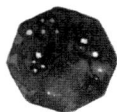

离开老波的瓶中船之家后，比比开心地回到了自己的帐篷里。

今天在下听到了那么多有趣的故事，吃到了那么多好吃的东西，还拿了一堆礼物回来，真开心啊！不过……没想到，从在下手里逃走的龙卷风竟成了老波先生重新审视如何跟别人交往的契机，真令人吃惊啊！要不要把这件事告诉他呢？不，不，还是算了吧。

还是不要说多余的话了，以免失去刚刚结交的朋友。对了，今晚就为老波先生和都留婆婆制造一个群星闪耀的夜空吧。

比比这样想着，从项链上取下一个蕴藏着灿烂星空的珠子。

"OTENKIYA TO FUINYA: JUNENYA TO MAHOGAI NO JUNINTACHI 3"

written by Reiko Hiroshima, illustrated by Miho Satake

Text copyright © 2021 Reiko Hiroshima

Illustrations copyright © 2021 Miho Satake

First published in Japan by Say-zan-sha Publications, Ltd., Tokyo

This Simplified Chinese edition published by arrangement with

Say-zan-sha Publications, Ltd., Tokyo in care of Tuttle-Mori Agency, Inc., Tokyo,

through Pace Agency Ltd., Jiang Su Province.

Simplified Chinese translation copyright © 2024 by Beijing Science and Technology

Publishing Co., Ltd.

著作权合同登记号　图字：01-2024-0406

图书在版编目（CIP）数据

天气屋与封印屋 /（日）广岛玲子著；（日）佐竹美
保绘；任兆文译. -- 北京：北京科学技术出版社，
2024（2025 重印）. --（十年屋与魔法街的朋友们）.
ISBN 978-7-5714-4069-5

Ⅰ．I313.85

中国国家版本馆 CIP 数据核字第 2024LF1688 号

策划编辑：梁　琳　张心然
责任编辑：刘　洋
责任校对：贾　荣
封面设计：包荧莹
图文制作：天露霖文化
责任印制：吕　越
出 版 人：曾庆宇
出版发行：北京科学技术出版社
社　　址：北京西直门南大街 16 号
邮政编码：100035
电　　话：0086-10-66135495（总编室）　　0086-10-66113227（发行部）
网　　址：www.bkydw.cn
印　　刷：保定市中画美凯印刷有限公司
开　　本：889 mm × 1194 mm　1/32
字　　数：72 千字
印　　张：4.875
版　　次：2024 年 9 月第 1 版
印　　次：2025 年 5 月第 2 次印刷
ISBN 978-7-5714-4069-5

定　　价：35.00 元